Dafydd Orwig 1928 - 1996

cofio
DAFYDD
ORWIG

Golygydd IEUAN WYN

Gwasg
Gwynedd

Argraffiad Cyntaf — Hydref 1997

© Gwasg Gwynedd 1997

ISBN 0 86074 143 5

Cyhoeddwyd ac Argraffwyd
gan Wasg Gwynedd, Caernarfon

Cynnwys

Diolchiadau

Dymunaf ddiolch i'r cyfranwyr am yr ysgrifau, y cerddi a'r lluniau. Cafwyd ymateb parod gan bawb. Diolch i Beryl, Huw, Owain a Guto am eu cydsynio parod i'r bwriad o gyhoeddi'r gyfrol. Roedd eu cydweithrediad a'u cymorth yn anhepgor. Diolch i'r canlynol am ganiatáu inni atgynhyrchu rhai cyfraniadau: golygyddion *Yr Herald*, *Y Faner Newydd*, *Barddas*, *Yr Arwydd*, *Llais Llyfrau* a *Barn*, BBC Cymru. Yn olaf, diolch i'r cyfeillion yng Ngwasg Gwynedd am fynd ynghyd â chyhoeddi ac am gynhyrchu cyfrol mor lân ei diwyg. Gwerthfawrogaf yn arbennig eu hymddiriedaeth a'u harweiniad gyda'r gwaith o'i golygu.

IEUAN WYN

Cyflwyniad

IEUAN WYN

NID cofiant mo'r gyfrol hon, ac nid cloriannu bywyd unigolyn yw ei bwriad. Yn hytrach, cyfle ydyw i dalu teyrnged a mynegi gwerthfawrogiad o fywyd Cymro arbennig o ymroddgar a gyfrannodd yn helaeth o'i allu i'w ardal, i'w sir ac i'w wlad; Cymro gwlatgar a roddodd yn eithriadol o hael o'i amser a'i egni er mwyn hyrwyddo achos Cymru a'r bywyd Cymraeg.

Er mwyn deall gweithgarwch Dafydd Orwig mewn perthynas â sefyllfa'r Gymraeg o'r chwedegau ymlaen, rhaid ei weld yng nghyd-destun un o'r datblygiadau mwyaf arwyddocaol yn hanes y mudiad iaith yn ail hanner y ganrif hon, sef galwad Saunders Lewis am chwyldro ieithyddol. Nifer gymharol fechan a ymatebodd yn gadarnhaol i alwad hanesyddol *Tynged yr Iaith,* darlith radio enwog 1962, a phan sefydlwyd Cymdeithas yr Iaith yn ei sgil daeth Dafydd Orwig yn gefnogwr gweithgar.

Byddai'n werth i ni ein hatgoffa'n hunain o graidd neges Saunders Lewis ac o'r hyn a bwysleisid ganddo wrth ystyried y modd y dylid mynd ati i gyflawni'r chwyldroad angenrheidiol: 'Eler ati o ddifri a heb anwadalu i'w gwneud hi'n amhosibl dwyn ymlaen fusnes llywodraeth leol na busnes llywodraeth ganol heb y Gymraeg . . . Rhoi rhybudd i'r Postfeistr Cyffredinol na thelir trwyddedau blynyddol oddieithr eu cael yn Gymraeg . . . Codi'r

Gymraeg yn brif fater gweinyddol y dosbarth a'r sir.'
Ymatebodd Dafydd, ac wrth fwrw golwg dros
weithgarwch Cymdeithas yr Iaith yn ystod 1966 yn *Wyt
Ti'n Cofio,* meddai Gwilym Tudur: 'Roedd y genhedlaeth
hŷn yn amlwg bellach; ymunodd amryw â Dafydd Orwig
i wrthod talu'r dreth radio a theledu yn Saesneg.'

Gwelir yn eglur hefyd gysylltiad uniongyrchol rhwng
ei brofiad gyda'r ymgyrch adeg helynt ffatri Brewer Spinks
a'i waith fel Cadeirydd Cefn, y mudiad hawliau sifil
Cymraeg, flynyddoedd yn ddiweddarach wrth
ymgyrchu'n erbyn agweddau gwrth-Gymraeg cyflogwyr
o blith y mewnfudwyr. Meddai Dr John Davies wrth
drafod blynyddoedd cynnar Cymdeithas yr Iaith yn *Tân
a Daniwyd*: 'Y datblygiad mwyaf dramatig yn hanes
brwydr yr iaith ym 1965, yn ddiau, oedd yr helynt yn
Nhanygrisiau ym mis Mehefin lle diswyddodd Mr Brewer
Spinks ddau o'i weithwyr am wrthod addo na fyddent
yn siarad Cymraeg yn ei ffatri. Codwyd ymgyrch leol
effeithiol yn ardal Blaenau Ffestiniog o dan arweiniad
James Roberts a Chymdeithas Bro Ffestiniog. Bu Owain
Owain, Dafydd Orwig a Gareth Miles yn weithgar iawn
yn porthi'r brotest tra roedd eraill ledled y wlad yn codi
arian i ddigolledu'r gweithwyr.'

Bu hefyd yr un mor flaenllaw yn yr ymgyrch i gael
Tystysgrif Gofrestru Genedigaeth ddwyieithog gyda Beryl,
ei wraig, a bu Guto, un o'u tri mab, heb ei gofrestru tan
1968 pryd yr ildiodd y llywodraeth.

Mae sylw Dr John Davies mewn man arall yn *Tân a
Daniwyd* nid yn unig yn ddisgrifiad o natur Dafydd ond
hefyd yn argoel o'r cyfeiriadau y byddai'n eu dilyn yn
ddiweddarach fel cynghorydd, a'r meysydd y byddai'n
llwyddo i adael ei ôl arnynt: 'Bu Dafydd Orwig yn

arbennig o doreithiog ei syniadau gan sôn, ymhlith pethau eraill, am ymgyrchoedd ynglŷn ag ysgolion uwchradd Cymraeg, iaith hysbysebion awdurdodau addysg . . .' Gwyddom am y sêl a ddangosai Dafydd dros hyrwyddo addysg trwy gyfrwng y Gymraeg, a'r modd y gweithiodd dros gael Cyngor Gwynedd i fabwysiadu polisi o sefydlu'r Gymraeg yn unig iaith gweinyddiad mewnol ei holl adrannau. Arhosodd y materion sylfaenol hyn yn hollbwysig iddo hyd at ei anadl olaf. Ac fel y tystia cyfeillion a theulu, yr un, hyd y diwedd, oedd ei ofal effro am y gymdeithas ddiwylliadol, y papur bro a'r eisteddfod leol.

Fe'i symbylwyd i weithredu, a symbylodd yntau eraill yn ei dro. A boed i'r gyfrol hon fod yn fodd i'n symbylu ninnau o'r newydd a dwyn eraill i mewn i'r achos. Mae mawr angen hynny oherwydd gwanychu yw hanes y Gymraeg fel iaith cymdeithas er yr holl ymgyrchu o'i phlaid. Mae'r argyfwng yn fwy enbyd nag y bu erioed, ac mae rhybudd Saunders Lewis yn dal yr un mor berthnasol i ni heddiw.

Bellach aeth Dafydd Orwig yn rhan o'n cwmwl tystion ni'r Cymry; yn rhan o'r hyn y mae Cymru, a bod yn Gymry, yn ei olygu. Mae pob argyfwng yn her, a bydd dygnwch a'r dyfalbarhad a'i nodweddai yn esiampl ac ysbrydoliaeth i'r dyfodol.

Pan sefydlir Senedd yn sgil y Cynulliad, yr unig reswm dros fodolaeth corff o'r fath fydd adeiladu'r genedl gyda'r Gymraeg yn sylfaen hanfodol. Dyma raglen genedlaethol i lywodraeth Gymreig. Dyma raglen Dafydd Orwig.

Cofio Dafydd
EMLYN EVANS

GORCHWYL anodd iawn i mi, ac enbyd o drist, yw ysgrifennu gwerthfawrogiad o fywyd a gwaith fy niweddar gyfaill Dafydd Orwig. Pan fu ef farw yn 68 mlwydd oed yn Ysbyty Gwynedd, Bangor, brynhawn Sul, Tachwedd 10, y llynedd, ar ôl brwydro'n ddewr a siriol am ddeng mis yn erbyn y creulonaf o'r holl afiechydon, fe ddaeth i ben yrfa ryfeddol gŵr arbennig ac anghyffredin, ac fe gollais innau (fel amryw eraill) ffrind cywir, rhadlon, gonest a difalais, a'n cyfeillgarwch yn ymestyn yn ôl dros gyfnod maith o bum mlynedd a deugain.

Fel y gwyddys, brodor o Ddeiniolen ydoedd, wedi'i eni yn 1928 yn unig blentyn David Arthur a Mabel Jones. Chwarelwr oedd ei dad, a phan nad oedd Dafydd ond ychydig fisoedd oed fe gododd y teulu eu pac o sir Gaernarfon i wneud eu cartref yn ne Iwerddon, a'r tad yn cymryd at swydd o reolwr chwarel yn ardal Kilcavan. (Cilcafan oedd yr enw a roes y mab ar ei gartref ym Methesda ymhen blynyddoedd wedyn.)

Bu'r teulu allan o Gymru am yn agos i ddeng mlynedd, gan ddychwelyd i Ddeiniolen — fel y clywais gan Dafydd — adeg Cytundeb Munich rhwng Neville Chamberlain a Hitler ym Medi 1938, pan oedd Ewrop mewn argyfwng enbyd, a chymylau rhyfel mawr arall eto fyth ar y gorwel.

Derbyniodd Dafydd ei addysg uwchradd yn Ysgol

13

Brynrefail, a mynd rhagddo i Goleg Aberystwyth i raddio mewn daearyddiaeth yn nyddiau'r Athro adnabyddus E. G. Bowen. Wedi cyfnod fel Trefnydd i Blaid Cymru ym Meirionnydd, bu'n athro daearyddiaeth ym Mlaenau Ffestiniog a Dyffryn Ogwen, ac yna'n ddarlithydd yn y Coleg Normal ym Mangor — ac ymddeol yn gynnar iawn yn niwedd y saithdegau er mwyn gallu rhoi ei holl amser i faterion diwylliannol a gwleidyddol ('pethau pwysicach o lawer na darlithio mewn coleg', ys dywedai ef ei hun). Yn 1956 ymbriododd â Beryl Griffith o Lanllechid, a ganed iddynt dri o feibion: Huw, Guto ac Owain.

Yr wyf yn credu mai yn nechrau'r pumdegau y bu'r cysylltiad cyntaf rhwng Dafydd a mi. Dyna'r pryd yr oedd cyflwr y wasg Gymraeg yn achosi pryder cynyddol i lawer ohonom. Yn wir, o edrych yn ôl ar y cyfnod hwnnw heddiw, mae'n rhaid gennyf fod y farchnad lyfrau yng Nghymru wedi taro'r gwaelod isaf. Yr wyf yn sôn yn awr, cofier, am yr adeg pan nad oedd grantiau tuag at gyhoeddi llyfrau Cymraeg ar gael o gwbl. Gan fod costau argraffu a rhwymo ar gynnydd, a chylchrediad yn lleihau, yr oedd y cyhoeddwyr (a phrin iawn oedd eu nifer hwy o gymharu â'n dyddiau ni) yn petruso fwyfwy cyn derbyn llawysgrif i'w chyhoeddi. A'r canlyniad naturiol i hynny, wrth gwrs, oedd bod awduron yn digalonni yn wyneb yr ansicrwydd y derbynnid eu gwaith gan gyhoeddwr ar ôl ymlafnio am fisoedd, efallai blynyddoedd, yn ei gwblhau.

Yna, ganol Tachwedd 1952, fe ddigwyddodd rhywbeth a oedd i brofi'n fath o garreg filltir yn hynt y wasg Gymraeg. Cynhaliwyd cynhadledd, wedi'i threfnu gan Gymdeithas y Cymmrodorion, yn Llandrindod i drafod y sefyllfa, gyda Phrifathro Coleg Prifysgol Cymru Bangor,

Syr D. Emrys Evans, yn brif siaradwr. Ac yr oedd yn amlwg ddigon, yn ôl y ffeithiau brawychus a ddatgelwyd y dwthwn hwnnw — sef ystadegau am gylchrediad llyfrau Cymraeg etc. — fod dyddiau cyhoeddi llyfrau a chylchgronau yn ein hiaith wedi'u rhifo. Galwai Syr Emrys a'r siaradwyr eraill yn y gynhadledd am weithredu positif a chyflym i arbed y sefyllfa cyn iddi fynd yn rhy ddiweddar.

Rhoddwyd cryn sylw i drafodaeth Llandrindod yn y wasg wythnosol (ac ar y radio, mi gredaf), yn arbennig gan y Parch. E. Tegla Davies a neilltuodd ei golofn gyfan i'r mater — dan yr enw 'Eisteddwr' — yr wythnos ddilynol yn *Yr Herald Cymraeg*. Ac un o ganlyniadau hyn oll oedd, yng ngwanwyn 1953, sefydlu Cymdeithas Lyfrau Cymraeg ymhlith Cymry Llundain. Bu llwyddiant anarferol (ac annisgwyl braidd) y mudiad hwnnw, sef cael aelodaeth o dros bum cant mewn rhai misoedd a sefydlu canghennau yn Birmingham a Lerpwl, yn foddion i ddwyn tri ohonom — Islwyn Ffowc Elis, Dafydd Orwig a minnau — i gysylltiad agos, a chreu cyfeillgarwch a barhaodd am ragor na deugain mlynedd.

Ganol yr wythnos yn dilyn Eisteddfod Genedlaethol Ystradgynlais, Awst 1954, a'm gwraig a minnau wedi dod i fyny o'r brifwyl i dreulio wythnos yn fy hen gartref ym Methesda cyn dychwelyd i'm gwaith yn y diwydiant trydan yn Llundain, gelwais am Dafydd ganol y bore yn Neiniolen i fynd yn fy nghar i i Ddolgellau i gyfarfod Islwyn — a oedd yntau ar wyliau yng nghartref Eirlys ei wraig ym Mryn-crug. Cawsom ginio gyda'n gilydd, ac yna treuliwyd y prynhawn yn trafod y syniad o sefydlu Cymdeithas Lyfrau Cymraeg Genedlaethol. Fe roddwyd ystyriaeth, mae'n rhaid dweud, i'r posibilrwydd o ffurfio

15

cwmni cyhoeddi rhyngom ein tri, ac yr oedd pob un ohonom gymaint ar dân dros yr 'achos' fel ag i fod yn barod i roi'r gorau i'n swyddi a'i 'mentro-hi' i fyd bregus ac ansicr cynhyrchu a gwerthu llyfrau Cymraeg. Fe fyddai Islwyn, wrth gwrs, yn rhoi ei holl amser i ysgrifennu, Dafydd yn gofalu am ochr ddosbarthu, gwerthu a hysbysebu, a minnau'n gwneud gwaith swyddfa a threfnu'r argraffu a'r rhwymo. Lawer tro dros y blynyddoedd fu fûm i — fel fy nau gyfaill mi wn — yn dyfalu beth a fyddai wedi dod o'r cynllun mentrus hwn! Pa sawl nofel, neu nofelig, o waith Islwyn a fyddem wedi'u cyhoeddi? A chomisiynu nifer o awduron eraill o bosibl? Ai ynteu i'r wal yr aethem tybed, er gwaethaf ein holl frwdfrydedd? Sut bynnag, bwrw'r syniad uchelgeisiol dros y bwrdd a fu raid gan nad oedd gennym fawr ddim cyfalaf i'w 'suddo' yn y cwmni newydd. A dyna oedd i'w ddisgwyl gan mai tri gŵr ieuanc oeddem, prin ddeg ar hugain oed.

Yr hyn yn hytrach y penderfynwyd arno yn Nolgellau y diwrnod hwnnw oedd cynnal cynhadledd yn Swyddfa'r Urdd yn Aberystwyth y Dydd Calan dilynol, sef y Sadwrn, Ionawr 1, 1955, a gwahodd cynrychiolwyr a charedigion yno o bob rhan o Gymru. Yr oeddem ein tri yn unfryd mai Dr (wedyn Syr) Thomas Parry fyddai'r gŵr delfrydol i lywio'r gynhadledd, ac fe gafwyd cyfarfod cofiadwy iawn: bron hanner cant yn bresennol, a dau ŵr adnabyddus yn amlwg yn y gweithrediadau, sef Mr R. E. Griffith yr Urdd a Mr Alun R. Edwards, Llyfrgellydd Ceredigion. Prif benderfyniad y prynhawn hwnnw oedd symud ymlaen i sefydlu cymdeithasau llyfrau ym mhob un o siroedd Cymru (a rhai o'r trefi mawr hefyd) gyda'r dewis i fabwysiadu cynllun naill ai Gymdeithas Lyfrau

16

Ceredigion, a oedd mewn bod ers oddeutu dwy flynedd ac yn gweithredu trwy werthu tocynnau (h.y. *tokens*) i'r cyhoedd i'w cyfnewid mewn unrhyw siop lyfrau a fynnent, neu Gymdeithas Lyfrau Llundain, lle y dewisid llyfr bob dau neu dri mis gan bwyllgor, a'i ddanfon drwy'r post i'r holl aelodau.

Ymhen llai na blwyddyn o amser yr oedd yna oddeutu pymtheg o gymdeithasau llyfrau wedi'u sefydlu ar hyd a lled Cymru, ac fe ffurfiwyd Undeb Cenedlaethol ohonynt gyda'r Dr Thomas Parry yn llywydd anrhydeddus. Heb unrhyw amheuaeth, y fwyaf nodedig, a 'byw' o'r cymdeithasau hyn i gyd oedd Cymdeithas Lyfrau Sir Gaernarfon — a pha ryfedd, onid Dafydd Orwig oedd y grym a'r ysbrydiaeth ynddi? Fe weithiodd ef yn ddiarbed drosti am dros ddeng mlynedd ar hugain, a gwneud cyfraniad enfawr i'r farchnad lyfrau Cymraeg. Yn 1964, fel dilyniant naturiol cynhadledd Aberystwyth — a thrwy ddygnwch anghredadwy ac anorchfygol y diweddar annwyl Alun R. Edwards — sefydlwyd y Cyngor Llyfrau, a daeth Dafydd yn agos iawn i gael ei benodi'n gyfarwyddwr cyntaf y corff newydd a phwysig hwn (sydd, ym marn rhai ohonom, yn fwy cyfrifol na neb na dim fod gennym lenyddiaeth gyfoes o gwbl yn yr iaith Gymraeg heddiw, ar ddiwedd yr ugeinfed ganrif, wedi goroesi'r holl argyfyngau a'r anawsterau a'i blinai yng nghyfnod 'Cynhadledd Llandrindod' 1952). Bu Dafydd yn gynrychiolydd llywodraeth leol ar y Cyngor yn ddi- dor oddi ar yr ad-drefnu yn 1974; etholwyd ef yn Is- gadeirydd yn 1989, ac yn Gadeirydd yn 1994. Y gwir yw, wrth gwrs, mai llyfrau Cymraeg oedd ei brif ddiddordeb mewn bywyd, a pha sawl gwaith y dywedodd wrthyf y byddai wrth ei fodd yn cadw siop lyfrau! Fe ŵyr rhai ohonom hefyd am y *blynyddoedd* o lafur caled ac ymchwil fanwl a olygodd cynhyrchu'r *Atlas Cymraeg* iddo. Ac yn ddi-os fe gyflawnodd ef a'i gydweithwyr orchest wrth ddwyn y gorchwyl hwnnw i ben.

Fe ddisgyn i ran eraill — mwy addas na mi o lawer — i sôn am gyfraniadau Dafydd ym myd addysg, llywodraeth leol, a gwleidyddiaeth. Ond ni allaf ddwyn hyn o lith i derfyn heb gyfeirio at ei ddiwydrwydd di-ball o fewn y gymuned leol ym Methesda. Ni bu neb prysurach nag ef gyda'r Eisteddfod Gadeiriol flynyddol — fel swyddog cyhoeddusrwydd am dros chwarter canrif, fel aelod ffyddlon a gweithgar o'i phwyllgor cyffredinol a sawl is-bwyllgor, ac fel un o'i harweinyddion anhepgorol. Ac yna'r Gymdeithas Ddiwylliadol leol yr oedd ef yn anad neb arall yn gyfrifol am ei sefydlu yn 1963, ac yn ysgrifennydd iddi o'r flwyddyn honno hyd ei farwolaeth. Cofiaf yn glir iawn dderbyn llythyr cyffrous oddi wrtho yn Llandybîe (lle'r oeddwn i'n byw ar y pryd) yn sôn gyda brwdfrydedd mawr am sefydlu'r gymdeithas newydd yn Nyffryn Ogwen, ac yn gofyn imi gynnwys cyfeiriad at hynny yn y cylchgrawn misol *Barn* yr oeddem wedi'i lansio yn Llyfrau'r Dryw ychydig fisoedd ynghynt.

Ond ar ôl crynhoi fel hyn, mewn cwmpas digon byr, weithgareddau 'cyhoeddus' fy niweddar gyfaill, rhaid imi ddychwelyd wrth orffen i'm paragraff cyntaf un, a'r ffaith imi golli ffrind mawr. Ac nid myfi'n unig, oblegid fe sonnir am amser maith am gymwynasau dirifedi Dafydd Orwig i drigolion ardal Bethesda. Bu'n gyfaill i bawb yn ddiwahân — pa lefel bynnag o gymdeithas y perthynent iddi, pa blaid bynnag a gefnogent, pa iaith bynnag a siaradent. Dros y blynyddoedd fe aeth cannoedd (yn llythrennol) o wŷr a gwragedd y dyffryn ar ei ofyn am gymorth a chyngor, ac ni wrthododd neb erioed. Yr oedd yn un o'r cymwynaswyr mawr, heb unrhyw amheuaeth. Ac fe fyddaf fi'n bersonol yn ddiolchgar dros byth am y cyfle a'r fraint o gael adnabod cymeriad mor arbennig.

Gŵr y Weledigaeth

JOHN OWEN

NID oeddwn yn adnabod neb ym Methesda cyn i mi ddod i'r ardal ar brawf, ar 25 Gorffennaf 1965, ar wahân i Dafydd Orwig. Ni wn erbyn hyn sut y deuthum i gysylltiad ag ef ond 'roedd wedi fy machu i ganfasio dros Blaid Cymru yn ardal Rhostryfan a Rhosgadfan. Wrth geisio gwneud y trefniadau i ddod i Fethesda nid oedd gan y diweddar Idris Williams, Ysgrifennydd y Pwyllgor Bugeiliol, ffôn bryd hynny, felly Dafydd Orwig oedd y negesydd. Nid oeddwn yn ei adnabod yntau'n dda ond sylweddolais ar unwaith ei fod yn eithriadol o ewyllysgar i'm cynorthwyo. Dyma fu'r hanes o hynny ymlaen. Cawsom gydwasanaethu mewn llu o gyfeiriadau yng nghylch Bethesda a thu hwnt a deuthum i weld yn glir mai gwasanaethu pobl a Chymru oedd nodwedd ganolog ei fywyd.

Y digwyddiad nesaf i'n dwyn at ein gilydd oedd yn yr ymgyrch i gael ffurflenni a gwahanol drwyddedau yn Gymraeg. Nid oeddem wedi cydgynllunio hyn ond cawsom ein gwysio i ymddangos gerbron y Fainc ym Mangor ar 7 Tachwedd 1967 gyda'n gilydd. 'Roeddem yn cydnabod nad oeddem wedi talu treth radio a theledu am nad oedd y dogfennau i'w cael yn Gymraeg. Cawsom ein rhyddhau'n ddiamod. Nid oeddem wedi disgwyl hynny. Ond yr oedd y datganiad gan Gadeirydd y Fainc, Mr Ernest Roberts, yn fwy rhyfeddol fyth. Y mae'n werth ei gofnodi: 'Fe'ch cafwyd yn euog o'r cyhuddiad. Yr ydych wedi torri llythyren un gyfraith ond yr ydym yn eich rhyddhau yn gyfan gwbl oherwydd teimlwn yn unfrydol fel Ustusiaid fod eich erlynydd, sef y Postfeistr Cyffredinol, hefyd yn anwybyddu llythyren ac ysbryd Deddf arall, sef Deddf yr Iaith Gymraeg 1967.'

Nid oes gen i fawr o gof beth a ddigwyddodd yn union wedyn ond bu'n ysbrydiaeth fawr i Dafydd a minnau. Wrth gwrs yr oedd gan Dafydd brofiad helaeth o ymgyrchu a chanfasio a gwleidydda a bu hynny'n gymorth mawr i mi. Gwyddai i'r dim sut i fynd o gwmpas gwahanol ymgyrchoedd, oherwydd yr oedd wedi bod yn y Llys o'r blaen ar 23 Mai. Yn ei ddatganiad, yn fy meddwl i, rhoddodd Dafydd grynodeb o'i syniad a'i agwedd at y sefyllfa yng Nghymru: 'Dyma Gymro yn gorfod dod i Lys Barn unwaith eto oherwydd ei fod o'n dymuno byw fel Cymro Cymraeg. Fe fûm i yma o'r blaen ar 23 Mai ar fater o egwyddor dwfn. 'Rydw i yma heddiw eto ar fater o egwyddor dwfn, sef hawl pob dyn i ddefnyddio'i iaith ei hun. 'Rydw i yma heddiw am fy mod yn mynnu defnyddio'r Gymraeg — fy iaith gyntaf a iaith hanesyddol y wlad hon — ymhob cylch o fywyd.' Ie, mynnu — yn benderfynol ond yn gwrtais.

Yn 1971 dwysaodd yr ymgyrchu yng Nghymru a thynnwyd mwy o bobl i mewn i'r frwydr dros yr iaith Gymraeg. Bellach yr oedd Deddf yr Iaith Gymraeg wedi ei phasio ers pedair blynedd ac nid oedd yr addewidion a wnaed yn gysylltiol â hi yn cael eu cyflawni. Cyndyn iawn oedd y Llywodraeth i ymateb i'r gwahanol alwadau i roi lle cyfreithlon i'r iaith Gymraeg. Am sawl rheswm, pylwyd peth ar fin yr ymgyrchu. Ond wedi'r Arwisgo yn 1969 ysgogwyd pawb o'r newydd. Grymuswyd ymgyrch

Cymdeithas yr Iaith mewn llawer cyfeiriad gan alw am ddogfennau yn Gymraeg, am arwyddion ffyrdd ac am ddefnydd helaethach o'r Gymraeg ar y cyfryngau. Cynhaliwyd rali fawr gan Gymdeithas yr Iaith yn Aberystwyth ar 27 Chwefror 1971. Fy unig sylw ar y rali yn fy nyddiadur oedd fod yna '. . . gynulliad rhagorol o bobl ieuainc'. Canlyniad anochel hyn oedd cyfarfyddiad Cyfeillion yr Iaith. Ymgais fwriadol oedd hyn i dynnu pobl hŷn a phobl mewn swyddi allweddol i'r ymgyrch. Nid oes angen dweud fod Dafydd yn un o'r Cyfeillion o'r cychwyn. Dyma a ddywed Millicent Gregory yn *Wyt Ti'n Cofio?* (t.79): ' 'Roedd Alwyn D. Rees a minnau yn pryderu'n fawr am yr hyn a ddigwyddai yn sgîl y gweithredu, a theimlem fod angen cefnogaeth ar y Gymdeithas. Lluniodd Alwyn ragarweiniad i ddeiseb, ac euthum innau ati i gasglu enwau'. Cyflwynwyd y ddeiseb yn ddiweddarach i Peter Thomas, yr Ysgrifennydd Gwladol. Y cam nesaf oedd ffurfio mudiad i gefnogi Cymeithas yr Iaith.

Cyfarfu'r Cyfeillion yn swyddfa'r Blaid yn Aberystwyth ac yn eu plith 'roedd Dafydd Orwig. Trefnwyd nifer o ralïau a chynhaliwyd y gyntaf ohonynt yn Aberystwyth ar 24 Ebrill 1971. Mewn llun o'r bobl oedd yn y rali yn mynd o gwmpas Aberystwyth y mae Dafydd ar y blaen gyda W. J. Edwards yn cario arwydd 'Aberteifi'. Yr oedd y ffaith i hanner cant o aelodau Cymdeithas yr Iaith gael eu carcharu dros y penwythnos yn symbyliad ychwanegol i'r rali.

Cafwyd rali arall yn Abertawe ar 8 Mai. Gyda Dafydd Orwig ac Alun Ogwen Jones yr euthum i yno. Bu bron i'r rali hon fynd yn flêr oherwydd i'r heddlu gymryd rhai i'r ddalfa. Ond yr oedd Dafydd yn ddiarbed yn ei arweiniad fel arfer. Y flwyddyn honno yr oedd yr Eisteddfod Genedlaethol ym Mangor. Fel y gallem ddisgwyl yr oedd yn weithgar gyda'r Eisteddfod. Un o'r pethau yr aethom gyda ni i'r rali yn Abertawe oedd baner hir yr Eisteddfod. Ni wn beth yw ei hanes erbyn hyn ond fe gafodd hithau ei hawr! Dafydd oedd yn bennaf cyfrifol am hynny.

Cynhaliwyd rali arall yn Aberystwyth yn ddiweddarach ond ni chofnodwyd fawr amdani. Gwneir y sylw hwn yn *Wyt Ti'n Cofio?*: 'Yr elfen fwyaf nodedig fu llwyddiant cyflym Cyfeillion yr Iaith a drodd y cyfan yn grwsâd grymus. 'Roedd cyrff cyhoeddus o bob math, yn cynnwys rhai cynghorau sir, a hyd yn oed y Blaid Lafur, o blaid dwyieithrwydd ar arwyddion ffyrdd. Yr enwadau hefyd, a gweinidogion Anghydffurfiol ar flaen y gad. Cenhadaeth y stryd oedd piau hi yn awr.' (t.83).

Cynhaliodd Cymdeithas yr Iaith ralïau mawr yng Nghaerdydd ac Aberystwyth. O ganlyniad codwyd y cwestiwn a ddylai'r Cyfeillion ymffurfio'n fudiad ar wahân. Nid oedd Dafydd o blaid hynny mwy na minnau. Tros dro y bwriadwyd y Cyfeillion yn y lle cyntaf ond gwrthgiliodd y mwyafrif. Daliodd Dafydd i gefnogi'r ymgyrch.

Yn ystod 1971 llusgwyd nifer o bobl ieuainc o Fethesda o flaen y llysoedd ac anfonwyd rhai ohonynt i garchar am gyfnodau gwahanol. Gwn i Dafydd wneud ei orau i'w teuluoedd yn ystod yr adegau hyn.

Ar 12 Ebrill 1973 etholwyd Dafydd Orwig yn aelod o Gyngor Sir Gwynedd trwy fwyafrif o bymtheg. 'Roedd ganddo feddwl mawr o'r diweddar Thomas Morris a gofidiai ei fod yn bwrw allan ddyn mor dda. Nid oedd y Cyngor Sir yn dechrau ar ei waith tan y flwyddyn ddilynol. Cefais gyfle i gydweithio â Dafydd yn sgîl ei aelodaeth o'r Cyngor. Gofynnodd i mi ddod yn un o reolwyr Ysgol Gynradd Penybryn ac Ysgol Uwchradd Dyffryn Ogwen ar ran y Cyngor Sir. Dyna'r ddwy ysgol y bu'r plant yma'n ddisgyblion ynddynt yr holl amser bron. Caffaeliad anghyffredin i'r ysgolion oedd cael gŵr mor hyddysg ym myd addysg yn aelod o'r Cyngor ac yn un o'r rheolwyr. Yn y cysylltiadau hyn yr oedd ei arweiniad yn hollol glir a diamwys. Ni allaf feddwl am neb mwy cytbwys. Ond nid oedd hyn ond un elfen yn ei gyfrifoldeb fel Cynghorydd.

Un o'r pethau oedd yn gwneud lle Dafydd Orwig ar y Cyngor yn gwbl saff oedd ei wasanaeth diflino i'r bobl a gynrychiolai. Cofnodai bob peth a glywai am bawb yn ei lyfr nodiadau ac os ffoniai rhywun ef i ofyn am gymorth gweithredai ar amrantiad. Gan ein bod yn gwasanaethu yn yr un cylchoedd, weithiau fe allem gynorthwyo'n gilydd. O dro i dro byddai'n crybwyll hwn a'r llall gan ofyn beth a allwn ei wneud i'w gynorthwyo. Bûm o gwmpas Bethesda gydag ef i edrych beth a allai ei awgrymu i wella'r lle. Diben sôn am hyn yw dangos ei drylwyredd fel cynghorydd. Oherwydd yr ymroad hwn câi anhawster i gyflawni pob peth wrth ei fodd. Pan oedd yn agosáu at ddiwedd ei ail dymor fel cynghorydd cefais alwad ffôn ganddo yn gofyn a fuaswn i'n ystyried sefyll yn ei le. Yr oedd yn ei chael yn anodd i wneud ei waith yn y coleg a bod yn gynghorydd. Ond os na allai ef wneud, pwy allai? Cyn pen hir daeth y waredigaeth. Cafodd gynnig ymddeol yn gynnar a derbyniodd y cynnig. Bwriodd iddi wedyn i fod yn gynghorydd gydol yr amser.

Ym mis Mawrth 1996 cefais wahoddiad gan John Huw Evans, golygydd *Llais Ogwan*, i ysgrifennu cyflwyniad i

Dafydd Orwig a fyddai'n dod yn Gadeirydd Cyngor newydd Gwynedd ar y dydd cyntaf o Ebrill. Gwyddwn nad oedd Dafydd yn dda pan oeddwn wrthi'n ysgrifennu ond ni wyddwn ei fod yn ddifrifol wael tan ar ôl hynny neu buasai wedi bod bron yn amhosibl. Nid fy lle i yw sôn am ei gymhwyster i fod yn Gadeirydd oherwydd yr oedd ei brofiad a'i wybodaeth yn eang. Gwyddem ni yn y cylch hwn am y galwadau arno i gadeirio pwyllgorau o bob math, i arwain mewn cyfarfodydd dirifedi, i agor gwahanol ddigwyddiadau, ac fe wnâi bob un ohonynt yr un mor drefnus ac effeithiol â'i gilydd.

Yn 1979 penderfynodd Plaid Cymru gymryd mwy o ran yn yr ymgyrch i gael sianel deledu Gymraeg. Daeth swyddogion atom o'r Swyddfa Bost yn fuan iawn ar ôl i'r ymgyrch gychwyn. Roeddynt yn dechrau, meddent hwy, gyda'r rhai a oedd wedi torri'r gyfraith o'r blaen. Felly yr oedd Dafydd a minnau o flaen y Llys o fewn dim amser ond nid gyda'n gilydd. Cafodd y ddau ohonom ein cosbi. Euthum i weld Dafydd ychydig nosweithiau ar ôl i mi fod o flaen y Llys. Dywedodd wrthyf ar unwaith ei fod ef yn mynd i dalu oherwydd bod etholiad y Cyngor Sir yn nesáu. 'Roedd Dafydd yn ystyried pob dim yn hollol bragmataidd.

Un o'r pethau y bu sôn mawr amdano ym Methesda ymhell cyn i mi ddod yma oedd ffordd osgoi. Bu adegau pan oedd y drafnidiaeth trwy'r lle'n annioddefol. Daeth pethau'n llawer gwell pan ddiwygiwyd ffordd y glannau. Newidiodd rhai pobl yn y cylch eu barn oherwydd y newid mewn agwedd at yr amgylchedd. Ond ni newidiodd Dafydd. Er mai daearyddiaeth oedd ei bwnc nid oedd coed a phlanhigion yn cael y blaen ar bob peth arall. Cysidrai'n ofalus beth a fyddai'r budd mwyaf i bobl heddiw. Daw hynny â ni eto at bwysiced oedd pobl yn ei olwg. Nid oedd y Cyngor Sir ychwaith yn ei chael yn hawdd i ollwng yr hyn yr oeddynt wedi defnyddio cymaint arno ym Methesda, sef bod ffordd osgoi yn mynd i ddod.

Pan ddaeth y newydd am farwolaeth Dafydd Orwig ar y Sul, 10 Tachwedd 1996, ni allwn ei dderbyn rywsut er fy mod yn gwybod ei fod yn ddifrifol wael ers peth amser. Ni allwn yn fy myw gredu ei fod wedi'n gadael. Nid oeddwn erioed wedi bod ym Methesda ac yntau ddim yma. Ni chlywais erioed gymaint o bobl yn dweud am neb eu bod hwythau'n methu credu hynny. Ni allwn gredu rywsut ei fod wedi colli'r frwydr — y brwydrwr mawr. Cefais wahoddiad ymhen ysbaid i gymryd gwasanaeth ei angladd. Hawdd iawn oedd llunio'r gwasanaeth a chael rhywbeth i'w ddweud ond ei ddweud oedd yn eithriadol anodd. Carwn roi crynodeb o'r hyn a ddywedais oherwydd mai fel yna yr oeddwn i'n adnabod Dafydd. Ni allwn feddwl am ddim i'w ddarllen ond 'Canmolwn yn awr y gwŷr enwog'. Y mae pawb ohonom yn hollol gyfarwydd â'r bennod ond faint ohonom sy'n gyfarwydd â chefndir doethineb Iesu ben Sirach. Ysgrifennwyd y llyfr i ddyrchafu golud yr hanes a'r diwylliant Iddewig yn wyneb bygythiadau diwylliant Groeg a oedd yn llygad-dynnu rhai Iddewon. Gŵr y weledigaeth neu'r freuddwyd fawr ar gyfer Cymru oedd Dafydd Orwig. Dyma oedd yn ei yrru'n ddidrugaredd fel pob un sydd â gweledigaeth fawr. Nid oes arbed o gwbl. Ond yr oedd yn credu mewn gwneud y pethau bychain. Dichon fod geiriau Dewi Sant ar flaen ei feddwl o hyd: 'Gwnewch y pethau bychain'. Yr oedd y manylder a'r trylwyredd yn ddychryn i rywun fel fi. Clywais wŷr a oedd wedi bod yn ddisgybl iddo ym Mlaenau Ffestiniog ar gychwyn ei yrfa fel athro, yn sôn am y manylder yr amser hynny. Gwn iddo holi o'i wely yn yr ysbyty y nos Wener olaf y bu fyw a oeddynt wedi mynd â phosteri Eisteddfod Dyffryn Ogwen i'r Ŵyl Gerdd Dant a oedd i'w chynnal drannoeth. Gwe oedd bywyd i Dafydd ac yr oedd un peth o hyd yn dibynnu ar y llall. 'Roedd ganddo argyhoeddiadau cryfion cwbl ddi-droi'n ôl. Ond yr oedd yn barod iawn i wrando ar bawb. 'Roedd yn ddigon cryf i gymryd sylw ac i roi ystyriaeth i bob agwedd ond nid oedd hynny'n golygu ei fod yn newid ei feddwl. Nid oedd manteision personol na gwrthwynebiad nac amhoblog-rwydd yn dylanwadu arno. Budd Cymru, ei hiaith a'i phobl, oedd yn llenwi ei feddwl. Ni allai dim ei droi oddi ar y llwybr hwnnw. Ond manteisiai ar bob cyfle i geisio ennill ei wrthwynebwyr. Gwnâi hynny'n gwbl gwrtais ond gyda sêl bob amser. Nid ennill dadl oedd arno eisiau ond ennill ei wrthwynebydd. Yr oedd cryfder ei argyhoedd-iadau'n caniatáu iddo wneud hynny.

Nid oes amheuaeth nad oedd yn ŵr gwybodus. Casglodd wybodaeth yn ffurfiol a thrwy ei brofiadau amrywiol. Gwn iddo gyfrannu i fyd addysg ar bob gwastad. Cyhoeddodd rai ysgrifau a llu mawr o lythyrau. Golygodd a gweithiodd ar *Yr Atlas Cymraeg*. Gwyddai'n union sut i drefnu a sut i gadw trefn ar ei ddefnyddiau. Ond yr oedd yn agored ac yn barod i ddysgu bob amser. Proses oedd bywyd i Dafydd. Faint o weithiau y clywsom ni'r frawddeg, 'Nid wy'n gwybod dim byd am hyn'. Ei gwestiwn mawr y tu ôl i'r cyfan oedd beth allwn ni ei ddysgu oddi wrth hyn. Nid oedd methiant hyd yn oed yn fethiant iddo fo oherwydd yr oedd yn gyfle i ddysgu. Dyna sy'n gwneud gŵr doeth. Dyma ddisgrifiad yr Iddew yn y Diarhebion 18:15: 'Y mae meddwl deallus yn ennill gwybodaeth, a chlust y doeth yn chwilio am ddeall'. Tristwch oedd na chafodd gyfle i gyfrannu fel Cadeirydd y Cyngor Gwynedd newydd, a chael dim ond cyfnod byr fel Cadeirydd y Cyngor Llyfrau, ond i ni bydd ei gyfraniad yn aros.

Cyfaddefodd lawer tro ei fod yn cael anhawster gyda'i ffydd. Etifeddodd y gwerthoedd uchaf yn ein cymdeithas — y gwerthoedd Cristnogol. 'Roedd llwyddiant y pethau gorau yn gymdeithasol a diwylliannol — ac os caf i ddweud, crefydd — ar flaen ei raglen. Cawsom drafodaeth ar hyn rai gweithiau ond yr oedd yn ymarhous i'w fynegi ei hun yn y cyfeiriad hwn. Gwn ei fod yn cael anhawster i gysoni digwyddiadau erchyll ym myd natur â chred yn Nuw. Yr oedd yn hanfod o deulu o Eglwyswyr ond aeth gyda Beryl at y Wesleaid. Ond gadawodd hwynt. Serch hynny, os na lwyddodd i ddilyn diwinyddiaeth John Wesley fe etifeddodd ei ysbryd a'i ymroad. Cyfunir mewn Cristionogaeth fwy nag un elfen. Ni allai Dafydd fod yn unman yn hir os nad oedd yn gwneud rhywbeth. '*Draw* mae 'ngenedigol wlad,' oedd ymwybyddiaeth Pantycelyn. *Yma* yr oedd Dafydd am weld y newid. Pobl a'u hamgylchiadau oedd y peth mawr iddo — pobl Cymru, cyflwr eu bywyd, eu hannibyniaeth a'u hiaith. Ni wn i am neb a allai ddweud yn fwy didwyll eiriau T. H. Parry-Williams na Dafydd Orwig . . .

Ac mi glywaf grafangau Cymru'n dirdynnu fy mron.
Duw a'm gwaredo, ni allaf ddianc rhag hon.

Profiad Swyddog

TECWYN ELLIS

B RAINT fawr cynghorwyr a swyddogion Cyngor Sir
Gwynedd oedd cael bod ynglŷn â threfniadaeth
Addysg a gwaith Llywodraeth Leol yn gyffredinol yn
1974. Yr oedd gan y mwyafrif ohonom ryw ymdeimlad
o grwsâd dros fynnu i'r iaith Gymraeg le blaengar mewn
gweinyddiaeth yn gyffredinol, ac o fewn i ysgolion y sir
yn benodol. Yr oedd rhanbarth o Gymru a gynhwysai
bron y cyfan o'r tair hen sir — Caernarfon, Môn a
Meirionnydd — yn un eang, a chafwyd nifer o unigolion
gydag argyhoeddiad pendant dros ennill ei lle i'r iaith
Gymraeg yn ein sefydliadau addysg lle yr oedd lle i wella.
Ymhlith y rhai mwyaf blaengar yr oedd y gŵr o Ddyffryn
Ogwen, Dafydd Orwig.

Fel rhai eraill ohonom bu ef yn gefnogol i Undeb
Cenedlaethol Athrawon Cymru o'r dyddiau cynnar.
Erbyn cyfnod ei waith yng Ngwynedd codasai cnwd o
athrawon ac athrawesau i ddwyn egni newydd i addysg
Gymraeg a dwyieithog. Ni ddylid wrth gwrs anghofio am
funud yr hyn a wnaed yn barod yn yr hen Sir Gaernarfon,
yn enwedig yn ysgolion y plant lleiaf a'r ysgolion cynradd
dan oruchwyliaeth Eluned Ellis Jones a'i rhagflaenwyr.

Ond daeth yr Wynedd newydd, a gwyddai Dafydd
Orwig gystal â neb mor bwysig oedd penodiadau addas
er mwyn hyrwyddo lle'r Gymraeg yn y swyddfa a'r

29

sefydliadau addysg. Gosodwyd ein nod yn eglur, sef gweld yng Ngwynedd gymuned allblyg, sefydlog o bobl wedi eu gwreiddio yn ein diwylliant a'i thraddodiadau hi ei hun, a chanddi'r gallu i gymathu'r hyn sy'n wahanol heb golli'r hyn sy'n gynhenid iddi. Un duedd yr oedd Dafydd Orwig o'i phlaid oedd penodi rhai'n brifathrawon ysgolion uwchradd y sir a oedd wedi eu profi eu hunain yn ganolog yng Nghaernarfon. Aeth cynifer â chwech o uwch-swyddogion yn brifathrawon ysgolion uwchradd Gwynedd mewn cyfnod o naw mlynedd. Aeth un ymgynghorydd hefyd maes o law yn brifathro'r Coleg Normal, ac y mae mewn swydd allweddol ym Mhrifysgol Cymru, Bangor erbyn hyn.

Hawdd y gellid nodi nifer o gynhorwyr blaenllaw y gallai swyddog ac ymgynghorydd ddibynnu arnynt: gwŷr fel W. R. P. George, O. M. Roberts, I. B. Griffith, Elwyn Roberts, a Dafydd Orwig wrth gwrs. Maddeued y gweddill ffyddlon imi am beidio â'u henwi. Heb eu cytundeb parod hwy a'u cefnogaeth i unrhyw dorri tir newydd mewn gweithredu polisi iaith a gwella ansawdd addysg ni buasid wedi cyflawni cymaint ag a wnaed. Yr oedd cryn brysurdeb rhwng popeth, ac nid oedd yn natur Dafydd Orwig i ymyrryd. Pontiai ef unrhyw fwlch a allai fodoli rhwng swyddog a chynghorydd am fod ganddo'r agwedd meddwl gynorthwyol honno a allai ennyn ymateb ffafriol. Meddwl cadarnhaol, allblyg ac adeiladol oedd yr eiddo ef. Ennill cydweithrediad oedd ei amcan cyntaf bob tro, nid collfarnu. Creu perthynas dda a sicrhau'r gorau oddi wrth y gweithwyr yn y maes oedd ei gryfder. Er cryfed ei argyhoeddiad, yn fy mhrofiad i nid oedd yn ymosodol nac yn fyrbwyll. Yn wir, yn yr Wynedd a adnabûm i yr oedd rhyw gyd-ddeall rhyngom i gyd yn gynghorwyr a swyddogion am ein bod â'n hwynebau i'r un cyfeiriad. Prin y cododd gwleidyddiaeth plaid ei ben o gwbl i'n gwahanu a'n gwanhau. Nid peth poblogaidd i'w ddatgan yw hyn, mae'n debyg, erbyn hyn, ond dyna fy mhrofiad i am ei werth. Maddeuer nodyn personol hefyd, peth nad yw'n gweddu fel rheol i swyddog llywodraeth leol. Pwy tybed a osododd ambell beth ar fy nesg: gweddillion llyfryn o bregethau gweinidog yr efengyl o'r oes o'r blaen a oedd ymhlith fy hynafiaid, a lluniau o rai o'i deulu? Ie, hyd yn oed lun o'm tad yn ŵr ifanc, a'r englyn hwnnw a briodolwyd i Elis Owen Cefnymeysydd:

Fel hyn ar edyn yr â — gwir addysg,
A rhwydd y cyflyma;
Cael i'w chychwyn un dyn da
A hi wedyn eheda!

Hawlia gwyleidd-dra arnom ystyried mai ysbardun i fwy o ymdrech oedd yma, nid cydnabod rhagoriaeth.

Yng nghysgod y gydberthynas hon y llwyddwyd, gobeithio, i gael y gorau gan swyddogion a gweinyddwyr. Rhaid i mi ddweud na welais i yn fy nydd gymaint o barodrwydd i waith, ac o ewyllys da rhwng cydweithwyr ag a brofais tra bûm wrth fy swydd gyda Chyngor Sir Gwynedd. Maddeued y gweddill o'r swyddogion imi am gyfeirio at un yn arbennig, sef y diweddar Dr Bryan Powell. Mynnodd ef ddyblu ei ddyletswyddau gydag ymroddiad rhyfeddol drwy gyfuno arolygaeth ar holl waith Addysg Bellach â gofal am ymgynghorwyr a'u dyletswyddau. Fel Dafydd Orwig lleibiasai yntau beth o awyr Iwerddon i mewn i'w gyfansoddiad. Er y golled, fel mewn llawer achos arall, o'i weld yn mynd, mwy na haeddai gael hyrwyddo'i gamre ymlaen i swyddi eraill

31

cyfrifol iawn yng Nghymru ym maes Addysg Uwch y tu allan i Brifysgol, ac wedyn fel Cyfarwyddwr Cymru i'r Brifysgol Agored.

'Roedd Dafydd Orwig yn aelod blaenllaw o'r Pwyllgor Ysgolion ac o Is-bwyllgor Penodi Athrawon Cynradd. 'Roedd ei brofiad fel athro ac aelod o staff y Coleg Normal yn werthfawr iawn. Mawr oedd ei ofal hefyd am benodi athrawon bro i sicrhau bod newydd-ddyfodiaid a'r di-Gymraeg yn cael hyfforddiant digonol. Gall R. Cyril Hughes a gydweithiodd ag ef dystio i'w frwdfrydedd mawr a'i weithgarwch diflino wrth baratoi'r *Atlas Cymraeg* a gyhoeddwyd dan ei olygyddiaeth. 'Roedd yn llafur blynyddoedd o waith distaw er cynorthwyo dysgu pwnc mewn ysgol ac i fod yn atlas safonol ar gyfer cartref a swyddfa.

Dyma'i dwysged ef i'r ddarpariaeth o lyfrau Cymraeg ar gyfer ysgolion y gweithiwyd mor galed ar ei chyfer gan y gwahanol siroedd o'r chwedegau o leiaf ymlaen. Un o Arfon, y diweddar Deiniol Williams, Cyfarwyddwr Addysg Sir Frycheiniog ar y pryd, a flaenorai ym maes llawlyfrau mewn cysylltiad â'r Cyd-bwyllgor Addysg Cymreig. Cymerwyd yr holl faes drosodd gan y Cyd-bwyllgor Addysg yn 1964 pan ymgymerwyd â maes llyfrau darllen i blant ysgol yn ogystal, a daeth bywyd newydd i'r gwaith dan law yr Ysgrifennydd, D. Andrew Davies. 'Roedd gwaith y siroedd yn saga ynddo'i hun. Gwelodd y diweddar Alun Edwards fanteision cydweithio rhwng siroedd Ceredigion, Caernarfon a Meirionnydd wrth ddarparu'r *Llyfr Gweddi a Mawl,* a chynyddodd yr ymgymeriad fel caseg eira. Fy mhrofiad i ym Meirionnydd fu cael cydweithrediad rhyfeddol gan laweroedd, ac yn enwedig gan athrawon y sir a thu hwnt.

Profedigaeth i mi oedd colli ffeil yn cynnwys holl fanylion y cystadlaethau a gynhaliwyd rhwng 1961 a 1973 gan Bwyllgor Addysg Sir Feirionnydd yn y symud ôl a blaen a fu rhwng Highfield yn Lôn Priestley, Caernarfon a'r Swyddfa Addysg yn Stryd y Castell. Cysur fodd bynnag yw gwybod bod y llyfrau wedi gwasanaethu eu cyfnod yn yr ysgolion. Sylwais, gyda llaw, fod Dafydd Orwig wedi cyfrannu i *Atlas Sir Gaernarfon* a gyhoeddwyd yn 1977.

Nodwedd arbennig Dafydd i mi oedd ei ymroddiad unplyg i gefnogi pob gweithgarwch addysgol a fyddai'n cyfoethogi'r unigolyn a'r gymdeithas. Yr oedd gwybodaeth o bwnc drwy gyfrwng y Gymraeg i Gymry yn cyfannu eu hunaniaeth a'u galluoedd deallol. Gweithio'n ddygn a chwbl ymroddedig oedd ei ddull ef o ddwyn y maen i'r wal. Ni allai'r fath genhadaeth unplyg a diffuant lai nag ennill parch pawb a'i hadwaenai. Er mawr foddhad iddo gwelodd sefydlu Ysgolion Uwchradd Bodedern, Tryfan a'r Creuddyn. Adnewyddwyd gwedd nifer helaeth o ysgolion cynradd a chodi rhai newydd o dan arolygaeth W. Carol Hughes. Rhan oedd hyn oll o'r brwdfrydedd a'r blaengarwch hwnnw yr oedd Dafydd Orwig yn ymgorfforiad ohono.

Wrth gwrs fe gredai mewn Cymreictod cyfan, holl-gynhwysol. Yn y gymysgfa ieithyddol sydd ohoni 'roedd yn rhaid ymaddasu ar ryw bwynt hefyd pan fyddai galw am hynny. 'Roedd Dafydd yn ŵr ymarferol, yn wleidydd a chynghorydd, ac yn gweld bod rhaid wrth ddwyieithrwydd. Gweithredodd felly yn gadeirydd Is-bwyllgor Dwyieithrwydd y Cyngor Sir. Gwyddai'n iawn y gallai dwyieithrwydd fod yn gleddyf daufiniog, ac y gallai fod yn ddim mwy na chyfnod o drawsnewid o'r iaith leiafrifol i'r iaith sy'n iaith y mwyafrif yng Nghymru ei hun. Os oedd rhywun am ennill tir yr oedd gan Wynedd gystal siawns â neb. Bwriodd Dafydd ati â'i holl egni i adfer sefyllfa ddigon anodd.

Cafodd Gwynedd ar y cychwyn gystal cynghorwyr ag y gellid disgwyl eu cael at y gwaith o geisio adfer i'r gymuned Gymraeg beth o'r hunan-barch y buwyd yn ei falurio am genedlaethau. Mae llawer o ffordd i fynd ac fe gymer amser. Ffôl o beth fyddai methu dal ar ein cyfle o ba le bynnag y daw. Y mae sawl ffrynt y dylid gweithio arnynt, ac nid ar yr un ffrynt y llafuria pawb. Da y gwyddai Dafydd fod eisiau pob un ohonynt. 'Roedd ei batrwm dygn ef o weithio i gyrraedd ei nod yn rhyfeddod ynddo'i hun. Cyfrannodd yn helaeth at ei gwneud hi'n bosibl inni hawlio bod llawer wedi digwydd mewn hanner canrif hyd yn oed.

Cenedlaetholwr a Chymwynaswr Bro

DAFYDD WIGLEY

COFIAF yn dda y sgwrs gyntaf a gefais erioed gyda Dafydd Orwig — sgwrs dros y ffôn. 'Roedd hynny ym Medi 1959 ar ganol ymgyrch Etholiad Cyffredinol a Dafydd yn ymgeisydd dros y Blaid yn Arfon. 'Roeddwn innau, crwt 16 oed, hefyd yn ymgeisydd dros y Blaid — mewn ffug-etholiad yn yr ysgol ym Mae Colwyn. 'Doedd gen i fawr o syniad sut i drin cwestiynau anodd na sut i redeg ymgyrch — ac 'roeddwn i mor hy â ffonio'r ymgeisydd prysuraf a welodd y Blaid, ar yr amser prysuraf oll, i ofyn am ei arweiniad. 'Doedd ganddo ddim syniad pwy oeddwn i, ond fe atebodd, ac fe esboniodd, ac fe anogodd fi ymlaen heb unrhyw awgrym fy mod yn mynd â'i amser ar adeg braidd yn anghyfleus. 'Roedd yn ddigon i roi hyder i mi fwrw ymlaen: pwy a ŵyr, fel arall, a fyddwn i yma heddiw?

Ym mhentref Deiniolen yn Arfon yr oedd gwreiddiau Dafydd Orwig, lle'r oedd gwreiddiau'r Blaid hefyd yn sgîl gwaith mawr H. R. Jones. Ond ymadawodd y teulu â'r ardal pan oedd Dafydd yn ifanc iawn gan fynd i fyw i ardal Wicklow yn Iwerddon lle'r oedd ei dad wedi'i benodi yn rheolwr chwarel. Yr oedd perchennog tir y chwarel wedi cael Cymro arall, Mr Roberts o Ffestiniog, i agor y chwarel ar droad y ganrif ac aeth fflyd o gyffiniau Ffestiniog yno i weithio. Ym Medi 1934 mynychodd Dafydd Orwig Ysgol Carnew a bu yno tan Awst 1938.

Yno bu digwyddiad a fu'n allweddol i weddill bywyd y bachgen ifanc pan ddaeth perchennog Chwarel Cilcavan — ie, enw'r chwarel a ddaeth, yn ddiweddarach, yn enw ei gartref ym Methesda — at dad Dafydd gan ddweud wrtho fod ei fachgen yn gwneud cystal yn yr ysgol fel yr hoffai helpu trwy dalu i'w anfon i ffwrdd i dderbyn yr addysg orau bosib. Yn ôl yr hanes ateb cynnil tad Dafydd oedd, *'I'll have to think about it, sir!'*.

Dyna a barodd, os yw'r hanes yn gywir gennyf, i'r teulu ddychwelyd i Gymru gan sicrhau nad oedd y bachgen ifanc addawol yn cael ei dorri oddi wrth ei wreiddiau.

Mynychodd Ysgol Deiniolen, Ysgol Brynrefail a Choleg y Brifysgol Aberystwyth lle'r enillodd radd mewn Daearyddiaeth. Fe'i penodwyd yn athro yn Ysgol Sir Ffestiniog ac yna, yn 1957, fe symudodd i Ysgol Dyffryn Ogwen. Priododd â Beryl — hithau â'i gwreiddiau yn y dyffryn yma — ac fe anwyd Huw, Guto ac Owain. O 1962 hyd 1981 bu'n ddarlithydd yn y Coleg Normal ym Mangor. Dyna rai o'r penawdau moel sydd ddim ond megis dechrau adrodd y cyfrolau sydd i'w dweud amdano.

'Roedd Dafydd Orwig yn arweinydd yng ngwir ystyr y gair a hynny mewn sawl cylch — o fewn ei filltir sgwâr, o fewn ei sir, ar lefel genedlaethol Gymreig, ar lefel ryngwladol ac, wrth gwrs, o fewn Plaid Cymru.

Mae ei weithgareddau o fewn ei filltir sgwâr yn rhy niferus i mi eu rhestru ond rhaid imi nodi iddo fod yn Gadeirydd Canolfan Cefnfaes, Bethesda; yn aelod gweithgar o Bwyllgor Rheoli Neuadd Ogwen; yn arwain y frwydr i sicrhau llyfrgell newydd ym Methesda; yn sylfaenydd Cymdeithas Ddiwylliadol Dyffryn Ogwen; yn weithgar gydag Eisteddfod Dyffryn Ogwen (deallaf iddo, ddeuddydd cyn ei farw, siarsio un o'r hogia i sicrhau fod poster yr Eisteddfod yn cyrraedd yr Ŵyl Gerdd Dant yng Nghaernarfon); yn weithgar dros *Llais Ogwan* a'r cylch hanes lleol.

Bu'n arweinydd ar lefel sirol, yn arweinydd heb ei ail. Bu'n aelod drwy gydol oes Cyngor Sir Gwynedd; Cadeirydd Pwyllgor Ysgolion Cyngor Sir Gwynedd; Cadeirydd Pwyllgor Addysg Cyngor Gwynedd; Cadeirydd Is-bwyllgor Dwyieithrwydd y Cyngor hwn; Cadeirydd Consortiwm Gwynedd — y corff sy'n cydlynu'r gwaith o ddysgu'r Gymraeg i oedolion; ac, wrth gwrs, bu'n Gadeirydd cyntaf yr Wynedd newydd a ddaeth i rym eleni.

Bu hefyd yn arweinydd ar lefel genedlaethol. Bu'n Gadeirydd Cyngor Llyfrau Cymru; aelod o Gyd-bwyllgor Addysg Cymru; aelod o Gyngor Coleg Bangor am flynyddoedd ac un a fu'n rhannol gyfrifol am weddnewid polisi iaith y coleg.

Bu'n arweinydd hefyd ar lefel ryngwladol: Cadeirydd Bwrdd Ieithoedd Lleiafrifol Ewrop, a thrwy hynny yn gweithio'n ymarferol tuag at y math o Ewrop ddatganoledig, amlddiwylliannol yr hoffem oll ei gweld.

Nid oes rhaid dweud iddo fod yn un o hoelion wyth y Blaid ym mhob ystyr a hynny ar sawl lefel: aelod ers tua 1946; Trefnydd yng Ngheredigion; Cadeirydd Pwyllgor Rhanbarth Meirion; Ymgeisydd Seneddol yn Arfon; Cynrychiolydd Etholiad yng Nghonwy; Cynghorydd yn enw'r Blaid am dros ugain mlynedd; Ysgrifennydd Cangen Dyffryn Ogwen a Phwyllgor Rhanbarth Conwy; bu ar Bwyllgor Gwaith y Blaid a Phwyllgor Llywio'r Gynhadledd. Fe'i hanrhydeddwyd gan y Blaid, yn ein Cynhadledd Flynyddol yn Llandudno yn 1994, am ei wasanaeth anhygoel.

Wrth feddwl am hyn oll, ei fod wedi gweithio ym Môn, Arfon, Meirionnydd a Cheredigion, mae wedi gadael ei farc ar bob un o'r seddi y mae'r Blaid yn eu dal yn y Senedd heddiw. 'Roedd pobl yn bwysig i Dafydd Orwig ac roedd ei weithgarwch yn arwain at doreth o lythyrau llongyfarch, cydymdeimlo, dymuno adferiad iechyd, yn ogystal â thrin problemau. Pobl oedd yn cyfri, ond mae'n rhaid wrth drefn i'w gwasanaethu.

Credai'n gryf mewn cydweithrediad o fewn cymdeithas. Un o'i hoff benillion — o waith Tom Nefyn — oedd:

Echel Duw yw cydweithrediad,
Arni'n hwylus try y cread;
Diafol gyda help dynoliaeth
Greodd echel cystadleuaeth.

Dyna neges sydd o werth i ni mewn Senedd ac mewn Cyngor — neges sy'n werth ei chofio yn yr oes sydd ohoni.

'Roedd 'perthyn' yn rhywbeth pwysig iddo. Perthyn i gymdeithas, perthyn i fro, perthyn i genedl — a'r iaith yn rhan ganolog, hanfodol o hynny. Bu ei waith manwl o ran ymgyrchu, procio ac ymchwilio yn rhan allweddol o'r newid mawr a ddaeth i statws yr iaith Gymraeg rhwng dechrau'r chwedegau a chanol y nawdegau. Fe awn cyn belled â dweud na fyddai'r Ddeddf Iaith ar y Llyfr Statud heb ei arweiniad, er y dymunai weld Deddf llawer mwy sylweddol. 'Roedd ei arweiniad ym myd cyhoeddi Cymraeg yr un mor allweddol i hybu gwerthiant llyfrau Cymraeg a thrwy ei gyfraniad uniongyrchol gyda'i gampwaith, sef cyhoeddi'r *Atlas Cymraeg* yn 1987 — ffrwyth wyth mlynedd o waith diwyd.

Deallaf ei fod bron bob bore Sadwrn yn cerdded y Stryd Fawr ym Methesda, fel y gwnâi'r hen siosialydd S. O. Davies ym Merthyr gynt, i gael gair â hwn a'r llall gan roi cyfle i bobl godi pob cwyn a gofid ag ef. Byddai'r llyfr bach yn nodi pob un, er mwyn gweithredu. A gweithredu a wnâi, a hynny yn y modd mwyaf trwyadl a chydwybodol trwy ffonio a llythyru.

'Roedd yna ddewrder yn perthyn i Dafydd Orwig a pharodrwydd i sefyll yn ddigyfaddawd dros yr hyn a gredai. Nid pob plentyn chweched dosbarth, yn ei gyfnod ef, a fyddai wedi arddel cenedlaetholdeb yn Ysgol Brynrefail. Nid sefyll er mwyn tynnu sylw ato'i hun ac nid sefyll er mwyn cael llwyfan ond sefyll o ran egwyddor.

'Roedd y dewrder hwn i'w weld ynddo i'r diwedd. 'Doedd o ddim yn cwyno, er bod ei waeledd yn rhwystredigaeth iddo a'i fod mewn poen mawr ar adegau. Meddyliai yn bositif gan ddal i gofio'r pethau bychain. Rhyw fis cyn ei farw, a'r cyflwr dieflig yn ei sigo erbyn hynny, fe anfonodd neges at Phyllis Ellis i roi gwybod iddi fod teulu o Fethesda wedi symud i fyw yn Llanrug a bod angen cysylltu â nhw i'w tynnu i mewn i weithgareddau'r Blaid. 'Roedd yr ymroddiad yno hyd y diwedd.

Yn ôl ei gyfaill Maldwyn Lewis, ceir y disgrifiad gorau o Dafydd Orwig yng ngeiriau'r bardd J. M. Edwards:

Hwynt-hwy ydyw'r gweddill dewr a'i câr yn ei thlodi,
Ac a saif iddi'n blaid yn ei dyddiau blin:
Allan yn y cymoedd a'r mynyddoedd amyneddgar
Hwy a wynebant yr estronwynt a phob hin.

Mae'r gweddill ohonom sydd ar ôl yn aruthrol dlotach o golli Dafydd Orwig. Rhoddodd bopeth, a llawer mwy, ac 'roedd ganddo'r hawl i ddisgwyl cael gweld llawn ffrwyth ei waith. Ond eto, 'does dim hawl gan yr un ohonom, dim ond cyfle i wneud ein rhan, bach neu sylweddol, yn ôl eithaf ein gallu a'n doniau. Ac os gwnawn ni hynny, gyda'r ddegfed ran o ymroddiad ac effeithioldeb Dafydd Orwig, fe ddaw gwell graen ar ein cymunedau; gwell byd i'n cydwladwyr; gwell gobaith i'r genedl.

Mae colli Dafydd Orwig yn ergyd i Ddyffryn Ogwen, i Wynedd, i Gymru ac i'r Blaid. Y Cymro mawr hwn, cenedlaetholwr a chymwynaswr bro. Diolch amdano. Heddwch i'w lwch a bywyd i'w weledigaeth.

Gwladweinydd
IOAN BOWEN REES

YN naturiol, 'roedd pennawd y papur Cymraeg yn nes ati nag eiddo papur Lerpwl: 'Gwleidydd â Gweledigaeth' yn hytrach nag *'Academic who loved the Welsh Language'*. Ond ni allai neb grynhoi cyfraniad amlochrog Dafydd Orwig i Gymru ac i gyd-ddyn i dudalen neu ddwy. 'Roedd yn academig, bid siŵr; yn ŵr gradd cwbl deilwng o Adran Ddaearyddiaeth arloesol Aberystwyth, yn athro ysgol a adawodd ei farc ar Ysgol y Moelwyn (1950-51) ac Ysgol Dyffryn Ogwen (1956-62), cyn mynd ymlaen i ddarlithio yn y Coleg Normal (1962-81), i olygu'r *Atlas Cymraeg* cyntaf, ymhlith cyhoeddiadau eraill, a dod yn aelod amlwg o Gynghorau Prifysgol Cymru, ym Mangor ac ar y lefel ffederal. Onid oedd bod yn un o'r to a drawsnewidiodd ddaearyddiaeth — o fod yn opsiwn dof, disgrifiadol braidd, i fod yn ddisgyblaeth lem sy'n treiddio'n ddwfn i brif broblemau'r ddynoliaeth — yn hyfforddiant ardderchog ar gyfer gwleidydd a chynghorydd?

Eto i gyd, 'academig' yw'r ansoddair gwirionaf y gellid ei arfer am un o'r ymladdwyr etholiad mwyaf trwyadl a gynhyrchodd Plaid Cymru erioed, un o'r cynghorwyr sir mwyaf effeithiol a gafodd faen erioed i'r wal, un o'r eithafwyr iaith dyfalaf ei donc ar gynifer o gerrig sydd bellach yn deilchion hyd at ebargofiant.

Pwy sy'n cofio'r dyddiau pan oedd cofnodion ac, i'r

41

graddau helaethaf, bwyllgorau'r hen, hen siroedd (siroedd Edward I) yn uniaith Saesneg; Swyddfa Gymreig (Lafur) yn gwrthod rhoi Abermaw yn ogystal â Barmouth, ar arwydd; Prif Gwnstabl a fagwyd ym Môn yn gwrthod rhoi Heddlu yn ogystal â Police, ar ei gerbydau; ambell gynghorydd o Glwyd ac ambell Ynad Heddwch o Wynedd yn cerdded allan o gyfarfodydd ar y cyd yn hytrach na defnyddio'r offer cyfieithu dieithr; BT yn gwrthod cais i gynnwys Cymraeg yn y Llyfr Ffôn, flwyddyn ar ôl blwyddyn; Cyffordd Llandudno heb erioed ymddangos gyda Llandudno Junction ar orsaf neu amserlen; sefydlu Ysgol Tryfan yn destun y gwrthwynebiad mwyaf mileinig; y Comisiwn Hiliol o'r farn fod 'Cymraeg yn ddymunol' (heb sôn am 'angenrheidiol') yn anghyfreithlon; S4C yn ymddangos yn llai tebygol na Senedd i Gymru; a Chonwy wedi bod yn Conway ers canrifoedd?

Wedi bwrw prentisiaeth fel trefnydd Plaid Cymru yn y canolbarth, meistrolodd y prif sgiliau gwleidyddol yn ei ugeiniau cynnar. Yr oedd ei 'Nodiadau Siaradwyr' pragmataidd yn fendith amhrisiadwy i ymgeiswyr. Fel ymgeisydd seneddol ei hun yn 1959, cododd y bleidlais yng Nghaernarfon i'r 7,000 allweddol a olygodd fod ennill o fewn cyrraedd. Erbyn hyn, meddai ar yr enw a'r carisma i gipio'r sedd ei hunan ond nid oedd dim yn fawreddog ynddo nac yn uchelgeisiol: efallai iddo synhwyro fod y Blaid yn dew o weledigaeth ond yn denau o drefniadaeth ac o drwch lleol. Daeth i gynrychioli Bethesda, neu un o'i wardiau, ar Gynghorau Sir Caernarfon, Yr Wynedd fawr a'r Wynedd lai, o 1970 hyd ei farw: fel arfer yr oedd ei fwyafrif yn un o'r rhai mwyaf yn y sir. Ac yntau wedi ei eni yn Neiniolen i deulu chwarelyddol, derbyn ei addysg uwchradd yn Ysgol Sir Brynrefail, a phriodi ym Methesda, ni ellid gwahanu ei genedlaetholdeb oddi wrth hen ddyhead y cymunedau hyn am gyfiawnder cymdeithasol, gwell amodau byw, a gwaith. Ifor Bowen Griffith o'r Blaid Lafur a ddisgrifiodd Dafydd Orwig fel 'y sosialydd gorau yn Nyffryn Ogwen'. Nid at ddylanwad Marx yr oedd yn cyfeirio ond at weithgarwch Dafydd a'i agwedd at bobl — *'communal solidarity'*, chwedl Isaiah Berlin wrth drafod Robert Owen, y Cymro a fathodd y gair 'socialism' ddegawd cyn i Marx gyhoeddi ei faniffesto. Ond i Dafydd yr oedd pob unigolyn yn rhan o'r gymuned: pan ofynnwyd i fachgen ysgol digon nodweddiadol beth a wyddai amdano, atebodd, 'Fo ddaeth draw ddeg o'r gloch rhyw nos Sul pan oedd dŵr yn llifo i'r tŷ, a dweud y drefn ar y ffôn nes i'r Bwrdd Dŵr ddod draw a chodi wal.' Fel Dewi Sant a D. J. Williams, gwnâi'r pethau bychain ei hun, gan gasglu tâl aelodaeth ei gangen leol o'r Blaid, a Chymdeithas Ddiwylliannol Dyffryn Ogwen, hyd y diwedd.

Er bod Dafydd newydd ddod yn gadeirydd y Cyngor Llyfrau a gefnogai mor frwd erioed, er iddo ennill bri ymhlith amryw o leiafrifoedd fel aelod o Fwrdd Iaith Ewrop, gan helpu i sicrhau statws i'r Wyddeleg yng Ngogledd Iwerddon, a derbyn cryn ysbrydoliaeth yng Ngwlad y Basg, er iddo ennill cefnogaeth aelodau Llafur o Went ar y Cyd-bwyllgor Addysg, er iddo gadeirio Pwyllgor Addysg yr hen Wynedd (ac, am flynyddoedd, ei His-bwyllgor Ysgolion allweddol a'i His-bwyllgor Dwyieithrwydd), er iddo gael ei ethol yn gadeirydd Gwynedd newydd tan reolaeth ei blaid mewn pryd i'w rhoi ar ben y ffordd, nid yn llygad y cyhoedd yn unig yr oedd ei ddylanwad wedi bod yn aruthrol dros ugain mlynedd o leiaf. Nid oedd ei hafal am annog a threfnu a chydgordio a chymodi a chydchwerthin, gan ennill parch a chyfeillgarwch i bob cyfeiriad.

Ar un adeg, perthynas iddo oedd gweinidog addysg ffederal yr Unol Daleithiau ac aeth Dafydd draw i'w weld: y fath weinidog addysg a gollodd Cymru wrth ymwrthod â'i Senedd ei hunan.

Yr oedd yn lwcus yn ansawdd nodedig amryw o'i gyd-gynghorwyr. Yn y ffordd y gellid dadlau bod Barry John yn rhedwr mwy gwefreiddiol na hyd yn oed Carwyn James, rhagorai ambell un ohonynt arno mewn ambell faes fel cyllid. Ni feddai'r un y fath gyfuniad o ddoniau, na'r un ymroddiad pedair awr ar hugain ychwaith. Er cystal chwaraewr ydoedd ei hun, er cymaint yr arweiniai o'r blaen, fel rheolwr tîm trwyadl yr enillai gêmau gwleidyddol, fel gŵr cwbl gyfarwydd â realiti'r talcen cynyddol galed y disgwyliai'r Llywodraeth Ganol i gynghorwyr ei weithio o 1979 ymlaen. Mewn dyn o argyhoeddiad mor ddwfn, un a fu o flaen Ynadon Bangor fwy nag unwaith yn ystod ymgyrchoedd iaith ddechrau'r saithdegau, yr oedd hyn yn rhinwedd arbennig iawn. O ran teyrngarwch plaid, ni allai ddibynnu ar fwy na rhyw 18 aelod o'r hen Gyngor Sir Gwynedd o 66, gan gynnwys y Pleidwyr hysbys a safai yn annibynnol. Ar ôl Refferendwm 1979, tueddai ambell geiliog gwynt i wangalonni yn wyneb Thatcheriaeth, diweithdra a'r mewnlifiad: ni fu cynnal cadernid Gwynedd erioed mor ddiymdrech ag yr ymddangosai o bell. Eto i gyd, llwyddodd i greu consensws go lydan o blaid polisïau iaith ac addysg blaengar ymhlith trwch yr aelodau, hyd yn oed ar ôl i un o ddeddfau Thatcher orfodi grwpiau gwleidyddol ffurfiol ar gynghorau, gan danlinellu statws lleiafrifol Plaid Cymru. Yn aml, llwyddodd hefyd mewn tasg anos — gwthio'r amrywiaeth mawr unigolyddol o aelodau annibynnol i gyfeiriad blaenoriaethau gwariant cymharol sosialaidd. A'r canol yn cyfyngu mwyfwy ar lywodraeth leol o ran arian a chyfraith, ni allai fod wedi bod yn gynghorydd mewn cyfnod mwy rhwystredig. Gwyddai gystal â neb nad oedd y cynnydd sylweddol mewn siaradwyr Cymraeg yn ysgolion Gwynedd rhwng 1981 a 1991 yn warant yn erbyn effeithiau tymor hir mewnlifiad syfrdanol o niferus, fwy nag oedd y cynnydd y pen yng nghyfoeth y sir, a sefydlu'r diwydiant teledu o gwmpas Caernarfon, wedi dod â ffyniant i'r mwyaf anghenus. Er gwaethaf hyn, pan aeth un o'r awdurdodau mawr ar lywodraeth leol, yr Athro John Stewart, o gwmpas holl gynghorau sir Lloegr a Chymru tua 1988, yn chwilio am y nodwedd anghyraeddadwy honno — un ysbryd corfforaethol yn cydio pob adran wahanol wrth ei gilydd — mynnai mai yng Ngwynedd y daeth agosaf ati. Y polisi dwyieithog oedd y llinyn cysylltiol a drawodd Stewart ac yr oedd y Sais hwn o Brifysgol Birmingham yn ddigon craff i sylwi mai symbol ydoedd y Gymraeg o ethos democrataidd, dyngarol ym mhob maes. Dafydd Orwig yn anad neb a gynhaliai'r polisi yna a'r ethos hwnnw trwy bob argyfwng a gwendid. Os ceidw Gwynedd ei chadernid, i Dafydd Orwig a Beryl, y wraig a rannai ei ddelfrydau, a'u hogiau teyrngar Huw, Guto ac Owain hefyd, i Dafydd Orwig a'i dimau o gyfeillion y bydd y rhan fwyaf o'r clod.

Dafydd y Garreg Las

JOHN L. WILLIAMS

YR oedd Dafydd Orwig yn gydwybodol, yn drefnus, yn weithgar, yn ymroddedig dros Blaid Cymru, y diwylliant Cymraeg, llywodraeth leol a llyfrau. O'r herwydd gellid tybio ei fod yn ddihiwmor a chul. Ond nid dyna'r gwir.

Yr oedd yn edmygydd mawr o 'Ifas y Tryc' a byddai'n ei ddyfynnu'n lled aml. Byddai'n hoffi hwyl a gwerthfawrogai lefaru a gweithredu clyfar. Dyma un o'r dywediadau a ddyfynnai: *Diplomacy — lying in state.* Yr oedd mor hoff o dreiffl fel y dywedai y byddai'n ei fwyta i frecwast. Gwisgai fodrwy aur ar ei fys. Dyma'r stori y tu ôl i'r fodrwy. Yr oedd Robat Jones, tad mam Dafydd, yn rheolwr y Co-op yn Neiniolen. Ni fedrai'r iaith Saesneg a phan oedd angen mynd i Fanceinion ynglŷn â'r busnes yr oedd yn rhaid i'r ysgrifennydd fynd efo fo i gyfieithu. 'Roedd gan y taid yma fodrwy aur ac fe'i rhoddodd hi i Mr O. G. Roberts, dyn y porc peis o'r Felinheli, a chydgynghorydd efo Dafydd. Rhoddodd yntau hi i'w fab ac fe'i collwyd yn yr ardd. Ymhen blynyddoedd daethpwyd o hyd iddi. Trefnodd Mr Roberts i'w glanhau a'i thrwsio, a chyflwynodd hi i Dafydd. Trysorai'r fodrwy a'r weithred.

Un arall o'r Felinheli oedd yn gyfaill i Dafydd oedd John Edward Williams, Abertawe ers llawer blwyddyn, a fu'n darlledu'n gyson ar y Dwyrain Canol. Taro ar ei gilydd yn edrych ar lyfrau mewn ocsiwn neu siop lyfrau a wnaethon nhw yn ddau fyfyriwr ifanc. Sosialydd oedd John fel llawer ohonom yn y bôn. Dywedodd Ifor Bowen Griffith, a honnai ei fod yn cario cerdyn aelodaeth y Blaid Lafur, mai Dafydd oedd 'y Sosialydd gorau yn Nyffryn Ogwen'. 'Roedd gan Dafydd barch mawr i'w ragflaenydd ar Gyngor Sir Gaernarfon, Thomas Morris, aelod Llafur. A phan fyddem yng Nghaerdydd a llefydd eraill cydweithiem yn hapus braf efo cynghorwyr Llafur, rhai Cymraeg a rhai di-Gymraeg. Cafodd Dafydd ei ethol yn gadeirydd Pwyllgor Iaith a Diwylliant Cyd-bwyllgor Addysg Cymru ganddyn nhw.

Cymerai ei waith fel cynghorydd o ddifri. Un o'i gryfderau oedd na fyddai byth yn colli ei dymer. Eto yr oedd yn falch o un achlysur pryd y bu raid iddo ddangos ei ddannedd. Gyda chynrychiolydd stad y Penrhyn y bu'r ddrama honno. Yr oedd tŷ hen wraig o Fethesda, un o dai'r Penrhyn, mewn cyflwr drwg iawn ers tro a Dafydd wedi sgrifennu a ffonio lawer gwaith heb lwc. Wedi symud o Gilcafan Coetmor i Gilcafan Braichmelyn roedd Beryl a Dafydd yn ffansïo cael patio o flaen y ffenest ffrynt ac ychydig mwy o ardd yn ymyl. Ar y terfyn y mae llain yn perthyn i'r Penrhyn. Holi'r *agent* a oedd modd prynu tamaid o'r tir. Cafwyd ateb digon digroeso ond gyda gwahoddiad i'r swyddfa. 'Roedd Dr John Ll. Williams, Bethesda wedi rhybuddio Dafydd mai'r ffordd orau i wynebu'r brawd oedd rhoi peltan go galed iddo yn y rownd gyntaf fel petai.

'*Oh! so you are this Councillor Orwig who has been causing so much trouble for me.*'

'*Look here,*' meddai Dafydd gan edrych i fyw ei lygaid a chodi'i fys, '*in the same way that it's your responsibility*

47

to look after the affairs of Lady Janet Pennant, it's my duty to do my best on behalf of the people I represent.'

Gweithiodd y cynllun, ac o dipyn i beth daethpwyd at fater y tir. Pob rhwystr ar y dechrau — defaid yn pori yno ac ati.

'Have you a map?' holodd y daearyddwr. *'These contour lines show clearly that there's a drop of about 10ft to the field where the sheep are . . .'*

Yn y diwedd, *'How much will you pay me?'*

'£100,' meddai Dafydd.

'Deal done,' meddai yntau.

Eithriad oedd i Dafydd Orwig droi'r tu min. Buom ni'n pedwar o gwmpas Sbaen a Phortiwgal rai blynyddoedd yn ôl. Saeson oedd y teithwyr eraill ac yr oedd Dafydd wrth ei fodd yn sgwrsio efo nhw. Ar y trip yr oedd merch wen o Dde Affrica a oedd braidd yn unig gan nad oedd neb o'i hoed hi i gymdeithasu â nhw. Nid oedd hi'n brin o olud. 'Roedd hi wedi colli'r bws yn Llundain a gorfod hedfan i Sbaen i'n dal cyn mynd yn rhy bell. P'run bynnag cymerodd Dafydd Orwig ofal tadol caredig o Anna Lease, chwarae teg iddo. Cafodd ddigon o fodd i fyw yn sgwrsio efo dyn o'r enw Chris o Sir y Fflint os cofiaf yn iawn. Nid wyf yn cofio a oedd o wedi bod yn Aberystwyth ar yr un pryd ond roedd wedi bod yn cydletya efo Waldo'r bardd.

Drwy garedigrwydd ein prifathro yn y Normal, Dr J. A. Davies, cawsom ganiatâd i fynd i gynhebrwng D. J. Williams. Dafydd oedd yn gyrru fel arfer; yr oedd yn hoffi car ac yn hoffi gyrru. Sôn am lenorion a beirdd ac enwogion a'u hardaloedd ar y daith, ac wedi cyrraedd, llwyddo i gael sêt tua chefn y capel llawn. A phwy oedd yn yr un sêt â ni ond Valentine.

David Arthur Jones, tad Dafydd Orwig, yn sefyll ar y chwith, yng nghwmni chwarelwyr Chwarel Kilcavan, Carnew, Swydd Wicklow, Gweriniaeth Iwerddon, 1928-38.

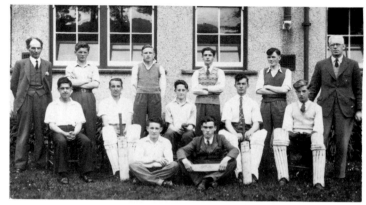

Tîm criced Ysgol Ramadeg Brynrefail yn 1946. Dafydd Orwig ar y dde yn y blaen, yn gyfrifol am gadw'r sgôr.

'Criw Llwydiarth', Coleg Prifysgol Cymru, Aberystwyth. O'r chwith i'r dde yn y cefn: Johnny Davies, Nesta, Johnny Bevan, Bill Adams, Watts Lewis. Yn y blaen: Dafydd Orwig a Trixie, ci perchennog y llety.

Graddio mewn Daearyddiaeth yng Ngholeg Prifysgol Cymru, Aberystwyth, 1952.

Priodas Dafydd a Beryl yng Nghapel Salem, Rachub, Awst 1956.

Dafydd, Beryl a Huw pan oedd Dafydd yn Ymgeisydd Seneddol yn Etholaeth Arfon adeg Etholiad Cyffredinol 1959.

Tri mab Dafydd a Beryl: Guto (ganed 5:5:65); Orwain (30:6:68); Huw (24:7:57).

Y meibion ym mhriodas Guto yn 1991.

Rali Cyfeillion yr Iaith yn Aberystwyth, 1971, yng nghwmni'r Parchedig W. J. Edwards, Edward Millward a'r Parchedig Ddr R. Tudur Jones.

Y tu allan i Swyddfa Heddlu Bangor yn 1970 adeg carcharu Dafydd Iwan.

Buddugwyr Plaid Cymru yn Nyffryn Ogwen, 10 Chwefror 1974.

Yn sefyll (o'r chwith i'r dde): Y Cynghorwyr Selwyn Jones, Idris Williams, Ieuan Llewelyn Jones, Gareth Williams, Alan Davies, Ffrancon Morris, Gwilym Morgan Prichard, Dafydd Gwilym Jones, Joseph Evans, R. Dilwyn Jones, Alun Glyn Jones a Daniel Jones. Yn y canol: Y Cynghorydd Dafydd Orwig gydag Ymgeisydd Seneddol Etholaeth Conwy, Meic Farmer. Yn eistedd: Y Cynghorydd Jane Jones a'r Cynghorydd Elen Griffith.

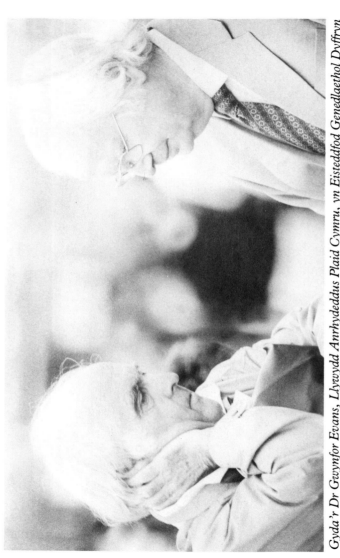

Gyda'r Dr Gwynfor Evans, Llywydd Anrhydeddus Plaid Cymru, yn Eisteddfod Genedlaethol Dyffryn Conwy, 1989.

Gyda Gwilym E. Humphreys, Beata Brookes, Carys Humphreys a Beryl yn Strasbourg, gaeaf 1986.

FY
ATLAS CYNTAF

DAFYDD WYF FI

GWEN WYF FI

W. & A. K. JOHNSTON & G. W. BACON CYF.
CAEREDIN A LLUNDAIN

Clawr gwerslyfr Daearyddiaeth a droswyd i'r Gymraeg gan Dafydd a Beryl Orwig mor gynnar â 1961 at ddefnydd ysgolion cynradd.

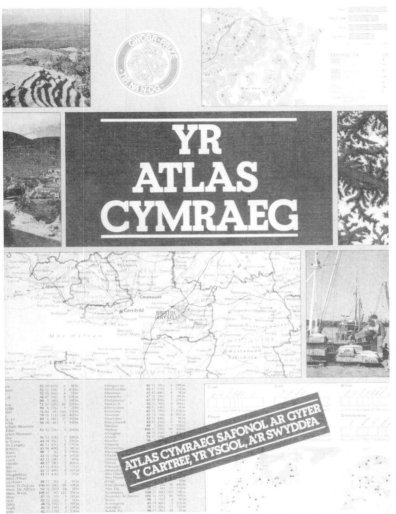

Clawr Yr Atlas Cymraeg *a baratowyd dan olygyddiaeth Dafydd Orwig a'i gyhoeddi yn 1987.*

Cyn-gyfarwyddwyr Addysg Gwynedd. Yn sefyll o'r chwith: Gwynn Jarvis (1994-96), Tecwyn Ellis (1974-83) a Gwilym E. Humphreys (1983-94). Hefyd J. E. Thomas, Prif Weinyddwr yr Adran Addysg yn ystod cyfnod y tri.

Cyn-gadeiryddion Pwyllgor Addysg Gwynedd. Yn eistedd, o'r chwith: Handel Morgan, Dafydd Orwig a John L. Williams.

Pwyllgor y Deyrnas Gyfunol o'r Biwro Ewropeaidd yr Ieithoedd Llai yn cyfarfod yn hen siambr Cyngor Sir Gwynedd yn 1990. Ymhlith yr aelodau mae, Yr Alban: Jack McArthur (Cadeirydd), John Angus Mackay (nawr yn bennaeth Teledu Gaeleg); Gogledd Iwerddon: Seamus de Napier (cyfaill agos i Dafydd Orwig); Cernyw: Dr Ken George; Cymru: Elwyn Davies (Cyngor Dosbarth Dwyfor, Ysgrifennydd y Pwyllgor am gyfnod); Cynghorydd Denley Owen (Cyngor Dosbarth Dinefwr); Cynghorydd O. Gwyn Jones (Cyngor Dosbarth Ynys Môn); John Walter Jones (Y Swyddfa Gymreig bryd hynny); Orwen Edwards (Cyfarwyddwr S4C); Allan Wynne Jones (Cynrychiolydd Masnach); Robin Gwyndaf (Yr Eisteddfod Genedlaethol); Janet Davies (Cynllun Mercator); a'r Athro D. P. Davies (Prifysgol Cymru).

Cadeirio Cyngor Llyfrau Cymru yn Aberystwyth.

Mae'n siŵr ein bod wedi siarad am hen ŵr Pencader. Onid oedd Dafydd, pan oedd yn Drefnydd Plaid Cymru yn Aberteifi, wedi bod yn rhannol gyfrifol am ddod â'r garreg fawr i bentref Pencader? Fel hyn yr ysgrifennodd Aneirin Talfan yn *Crwydro Sir Gâr* am y geiriau a groniclwyd gan Gerallt Gymro:

Pan ofynnodd Harri II i'r hen ŵr beth a feddyliai am ei fyddin a gallu'r Cymry i wrthsefyll yr ymosodiadau arni, atebodd:

'Ei gorthrymu, yn wir, ac i raddau helaeth iawn ei distrywio a'i llesgáu trwy dy nerthoedd di, O frenin, ac eiddo eraill, yn awr megis gynt a llawer gwaith eto tan orfodaeth ei haeddiannau, a ellir â'r genedl hon. Yn llwyr, fodd bynnag, trwy ddigofaint dyn, oni bo hefyd ddigofaint Duw yn cydredeg ag ef, ni wneir ei dileu. Ac nid unrhyw genedl arall, fel y barnaf fi, amgen na hon o'r Cymry, nac unrhyw iaith arall, ar Ddydd y Farn dostlem gerbron y Barnwr Goruchaf, pa beth bynnag a ddigwyddo i'r gweddill mwyaf ohoni, a fydd yn ateb dros y cornelyn hwn o'r ddaear.'

(Cyfieithiad yr Athro Thomas Jones)

Yn 1965 yr oedd amryw ohonom yn y Normal efo'n gilydd yn Gymry selog; Huw Lloyd Edwards, Owain Owain, Dafydd Orwig, Cyril Hughes ac eraill. Pan dorrodd y stori am ryw Brewer Spinks wedi rhwystro ei weithwyr rhag siarad Cymraeg yn ei ffatri fe'n cynhyrfwyd ac aeth pedwar ohonom i Flaenau Ffestiniog i gyfarfod protest. Cofiaf i Owain areithio, gorgynhyrfu a chael ei daro'n wael am gyfnod y noson honno. Yr oeddem yn Nhanygrisiau yn ein holau erbyn saith y bore wedyn a theimladau'n berwi. Bu siarad a chanu emynau ac yna tawelwch wrth weld gorymdaith fach o ferched yn dod tuag atom ac yn canu. 'Roedden nhw wedi rhoi'r gorau i'w gwaith mewn cydymdeimlad. Pobl Plaid Cymru a'r Blaid Lafur a'r Undebau gyda'i gilydd — dyna wefr!

A Dafydd a minnau yn y Normal yn gyflogedig gan Gynghorau'r Chwe Sir ac yna tair, Gwynedd, Clwyd a Phowys, ceisiodd rhywrai, cyd-gynghorwyr 'rwy'n credu, ein rhwystro ar dir technegol. Ond trwy ymdrechion y ddau gyfreithiwr John Roberts, Pwllheli a'r Dr W. R. P. George ar ein rhan enillwyd yr achos a buom ar gyngor rhanbarthol Gwynedd am ddwy flynedd ar hugain efo'n gilydd.

Yr oedd Dafydd Orwig wrth ei fodd efo'r gwaith a wnaeth trwy'i fywyd a daliodd ati hyd y diwrnod dwytha. Ni allwn ninnau, yn hawdd, roi'r gorau i ymgyrchu.

Dafydd Orwig: *Addysgwr, Adferwr ac Arloeswr y Gymraeg*

GWILYM E. HUMPHREYS

WRTH bendroni yn ystod haf 1982 a ddylwn gynnig am swydd Cyfarwyddwr Addysg Gwynedd, un o'r ystyriaethau pwysicaf oedd maint y gefnogaeth debygol a geid gan aelodau i faterion addysgol a ystyriwn i yn bwysig, yn arbennig i rai mewn perthynas â'r Gymraeg. A minnau'n Arolygwr Ysgolion Ei Mawrhydi ar y pryd, yr oeddwn yn weddol gyfarwydd â pholisïau'r sir newydd a ddaethai i fodolaeth yn 1974 ar ôl ad-drefnu llywodraeth leol, ac 'roedd gen i syniad fod nythaid o gynghorwyr dylanwadol a brwd y tu cefn i bolisi iaith blaengar Gwynedd — polisi oedd wedi newid agweddau yn yr ysgolion dros gyfnod byr o gymharu â'r sefyllfa a fodolai yn llawer ohonynt dan yr hen siroedd. Ond cofio bod Dafydd Orwig wedi ymddeol yn gynnar o'i swydd yn y Coleg Normal ac wedi ei ethol yn gynghorydd Gwynedd a'm perswadiodd yn fwy na dim i gyflwyno cais. Yr oedd cael gweithio gyda dyn o'i argyhoeddiad ef yn rhywbeth i'w chwennych. O'r 14 Chwefror 1983, pan ddilynais Tecwyn Ellis yn Gyfarwyddwr Addysg, a hyd farwolaeth annhymig Dafydd yn Nhachwedd 1996, cefais y fraint o wylio, yn eithaf clòs ar brydiau, yr addysgwr a'r cenedlaetholwr Cymraeg brwd hwn wrth ei waith yn hyrwyddo, yn gyson a thrwyadl, adferiad yr iaith Gymraeg yn ei fro ei hun ac yn genedlaethol.

Yn naturiol, oherwydd ei gefndir fel addysgwr — bu'n athro Daearyddiaeth yn Ysgol y Moelwyn, Blaenau Ffestiniog ac yn Ysgol Dyffryn Ogwen, Bethesda, cyn mynd i'r Coleg Normal yn ddarlithydd yn 1962 — addysg oedd prif ddiddordeb Dafydd a bu'n Gadeirydd yr Is-bwyllgor Ysgolion (neu'r Is-bwyllgor Addysg Gynradd ac Arbennig rhwng 1986 a 1990) o 1978 hyd ddiwedd oes Cyngor Sir Gwynedd. Bu'n Gadeirydd Addysg rhwng 1985 a 1987 ac, yn rhyfedd iawn o ran trefn (ond mae modd esbonio hyn yn nhermau canlyniadau etholiad a rheolau'r Cyngor Sir), yn *Is*-gadeirydd Addysg o 1991 tan 1996. Hyd nes newidiodd y llywodraeth Dorïaidd y drefn o benodi prifathrawon a rhoi mwy o rym i lywodraethwyr, Dafydd Orwig fu'n cadeirio'r panel staffio canolog am flynyddoedd, a rhoddai bwys mawr ar y gwaith hwn gan ei fod yn grediniol, fel finnau, mai penodi'r pennaeth iawn oedd hanner y gamp er mwyn sicrhau ysgol dda. Er bod ganddo syniadau cryfion am addasrwydd rhai ymgeiswyr gofalai bob amser beidio â chamddefnyddio ei swydd, a llywiai'r penodiadau'n hollol deg a democrataidd gan edrych bob amser am gonsenswr. Ym mhob cadair a lenwai Dafydd, fe sicrhâi drefn, ac 'roedd blerwch, a diffyg dilyn y rheolau — o ran eu hysbryd o leiaf — yn anathema iddo. Gan ei fod yn paratoi ar gyfer pob cyfarfod mor fanwl a thrylwyr, fe allai lywio'r materion mwyaf astrus yn gelfydd heb wastraffu amser. Arferai amynedd gyda'r rhai llai trefnus ond 'roedd yn gallu bod yn chwyrn gyda'r rhai a geisiai ystumio'r gwirionedd a chamarwain.

Yn siambr y Cyngor Sir, Dafydd oedd gwarchodydd

safonau cywirdeb iaith y cofnodion — Saesneg yn ogystal â'r Gymraeg. Golygai hyn oriau lawer o ddarllen cofnodion sychion di-ben-draw, yn y ddwy iaith, ond 'roedd y gorchwyl hwn yn rhan o'i grwsâd ieithyddol ac yn gymwynas enfawr er diogelu safonau. Dafydd oedd yr Ombwdsman Iaith answyddogol — Gwynedd o leiaf, os nad Cymru.

Ar ei draed yn y siambr mewn dadl, 'roedd Dafydd Orwig yn rymus argyhoeddiadol. Wrth edrych dros ei ysgwydd ar ei nodiadau yn ei sgrifen traed brain (ond dealladwy — yn wahanol i fy un i!) fe welech fanylder ei baratoad; fel daearyddwr, 'roedd popeth wedi ei fapio'n fanwl ac ni fyddai byth yn siarad ar ei gyfer. Yn ei areithiau, fe welech ef yn gosod y broblem, yn rhestru'r gwrthddadleuon — a'u hateb, cyn rhannu ei argyhoedd-iadau a'i weledigaeth. Yn y diwedd, os nad oedd y gwynt o'i du, byddai'n barod i gyfaddawdu os oedd raid, gan obeithio ennill peth tir yn hytrach na dim.

Er ei fod yn aelod da dros ei etholaeth fe feddai hefyd ar weledigaeth sirol a chenedlaethol. Adlewyrchai ei gyfraniadau yn y dadleuon 'mawr' addysgol ei ffyddlondeb i'r egwyddorion yn hytrach na mympwy a rhagfarn ac ystyriaethau lleol cul a allasai, efallai, fod o fantais gwleidyddol tymor byr iddo. Fel Prif Swyddog, os oeddech wedi argyhoeddi Dafydd o werth a phwysigrwydd polisi newydd neu ddatblygiad, fe wyddech y caech ei gefnogaeth ddiwyro; nid ei fod yn derbyn popeth yn ddigwestiwn, ac fe roddai arweiniad clir i ni, swyddogion addysg, ar nifer o faterion. Treuliodd oriau ben bwy gilydd yn y swyddfa yn trafod a holi er mwyn sicrhau ei fod yn deall a chytuno ar y materion oedd dan ystyriaeth.

Ar wahân i weithredu ar bwyllgorau Gwynedd, 'roedd ef a minnau yn cynrychioli Gwynedd ar gymaint o bwyllgorau a chynghorau addysgol cenedlaethol — Cydbwyllgor Addysg Cymru, Y Brifysgol, Pwyllgor Datblygu Addysg Gymraeg er enghraifft — fel fy mod wedi cael cyfle da i astudio techneg a thacteg pwyllgor Dafydd Orwig. Yn y car ac ar y trên wrth deithio i'r cyfarfodydd hyn 'roedd sgwrs Dafydd yn fywiog ac yn adlewyrchu trylwyredd ei baratoad, ond hefyd yn dangos ei gonsýrn gwirioneddol am ddyfodol ei genedl, a'i hiaith yn fwyaf arbennig. Ar un ymweliad â Strasburg mynegodd fwy nag unwaith ar y daith ei ddyhead i weld Cymru rydd yn closio'n nes at Ewrop er mwyn inni fel cenedl allu mwynhau'r un manteision â chenhedloedd bychain eraill o fewn y Gymuned Ewropeaidd.

Ni chredaf am funud ei fod yn hoffi pwyllgorau er iddo dreulio oriau di-ben-draw ynddynt. I Dafydd, 'roedd pob pwyllgor yn gyfle i argyhoeddi rhywun o bwysigrwydd y Gymraeg yn fwy na dim ac yn gyfle hefyd i ddangos y gellid ei defnyddio o fewn unrhyw gyd-destun, ei defnyddio gyda rhwyddineb ac eglurder. Cyn dyddiau'r cyfieithu ar y pryd (a phwy ond Dafydd oedd yr archsbardunwr i gael y system hon i Gyngor Gwynedd a llawer cyngor arall — 'er mwyn y di-Gymraeg', fel y dadleuai), byddai Dafydd yn ailadrodd ei sylwadau yn y ddwy iaith wrth gyfarch ei gyd-aelodau. Fyddai dim yn ei gorddi (yn ffordd dawel Dafydd) yn fwy na gwrando ar Gymry Cymraeg yn siarad Saesneg a'r offer cyfieithu ar gael, a byddai cadeiryddion o Gymry Cymraeg nad oedd wedi addasu eu hen ffyrdd i'r drefn newydd yn cael awgrym boneddigaidd a diplomataidd ganddo (byth yn gyhoeddus rhag gelyniaethu) o'r pwysigrwydd o ddefnyddio'r iaith

Gymraeg o'r gadair. Gwellhaodd sawl un yn hyn o beth dan ei ddylanwad! Ni fyddai dim yn rhoi mwy o foddhad iddo na gweld y Gymraeg yn cael ei lle fwyfwy mewn gweinyddiaeth a phwyllgor a chyngor.

Un o aml rinweddau Dafydd oedd ei barodrwydd i ganmol, yn arbennig canmol ei wrthwynebwyr; edrychai am gyfle i wneud hynny lle bynnag y byddai unrhyw nodwedd yn plesio. Hyn, yn ogystal, wrth gwrs, â'i ddiffuantrwydd a'i unplygrwydd amlwg, a sicrhaodd y parch eithaf iddo mewn cynghorau a phwyllgorau cenedlaethol a sirol; 'roedd gan aelodau Llafur De Cymru feddwl y byd ohono er gwaethaf sawl gwahaniaeth mewn pwyslais a gweledigaeth.

'Does dim amheuaeth nad yr iaith Gymraeg oedd ei gariad mawr a diogelu dyfodol hon oedd prif amcan ei weithgarwch gwleidyddol, addysgol a chymdeithasol. Er ei gred ddiwyro mewn hunanlywodraeth nid wyf yn credu y byddai gan Dafydd ryw lawer o ddiddordeb mewn Cymru rydd ddi-Gymraeg. Fe roddodd lawer o'i amser prin i ddysgu'r Gymraeg i oedolion o fewnfudwyr i'w ardal yn ei gartref ar nos Sul, a mynegodd llawer ohonynt eu gwerthfawrogiad o'i help i'w galluogi i groesi'r bont. 'Roedd Dafydd y daearyddwr yn ddyn pontydd.

'Roedd ei arbenigrwydd mewn addysg a'i ddiddordeb yn ei chyfundrefn a'i pholisïau yn caniatáu iddo ymhél llawer â lle'r Gymraeg yn y gyfundrefn addysg. Gan i hyn ddigwydd cyn fy nghyfnod i'n Gyfarwyddwr Addysg, gall eraill sôn am ei gyfraniad wrth sefydlu polisi iaith blaengar Gwynedd yn 1974, ond gwn yn dda am ei gefnogaeth i bolisïau addysg Gwynedd yn ddiweddarach, nifer dda ohonynt yn bolisïau yn ymwneud â grymuso'r defnydd o'r Gymraeg ym mhob sector — o'r meithrin i addysg bellach. Bu'n lladmerydd dros sefydlu tîm ymgynghorol cryf i gadw golwg ar, a hybu, safonau dysgu ar draws y cwricwlwm, dros agor canolfannau iaith i'r hwyrddyfodiaid ledled Gwynedd, yn gefnogwr y cysyniad o athrawon bro ac yn eiddgar dros rymuso eu dylanwad, yn frwd o blaid creu modelau iaith yr ysgolion uwchradd a llunio a gweithredu polisi iaith addysg bellach; gwelai addysg drydyddol yn gyfle nid yn unig i ddarparu'n well ar gyfer addysg ôl-16 ond i ehangu'r defnydd o'r Gymraeg yn y sector pwysig hwn. Dangosai'r un diddordeb mewn addysg uwch. Heb ymdrechion dygn Dafydd, go brin y byddai gan Brifysgol Ffederal Cymru a Phrifysgol Cymru, Bangor, y math o bolisïau sydd ganddynt heddiw. Bellach, mae angen gwarcheidwaid newydd i lenwi'r bwlch a adawodd Dafydd Orwig yn y mannau hyn.

Gwyddai'n dda na allai'r Gymraeg ac addysg flaengar ffynnu ar lawr dosbarth heb adnoddau o ran llyfrau a chyfarpar. Yng Ngwynedd, cefnogodd sefydlu'r Ganolfan Astudiaethau Iaith (sydd bellach wedi diflannu yn sgîl polisïau masnachol didostur y llywodraeth ddiwethaf, a fu mor niweidiol i'r Gymraeg), canolfan a baratôdd nifer helaeth o lyfrau lliwgar a deniadol i'r ysgolion a'r colegau yn ystod ei hoes fer. Yn genedlaethol, 'roedd yn aelod o'r Pwyllgor Datblygu Addysg Gymraeg pan sefydlwyd ef yn 1987 (ar ôl brwydr hir gyda Dafydd ar flaen y gad), ond fe ymddiswyddodd pan welodd nad oedd y Swyddfa Gymreig o ddifrif ynglŷn â'i swyddogaeth nac yn barod i'w gyllido'n deilwng er diwallu'r galw taer am fwy o adnoddau a hyfforddiant. Yn gyffredinol, nid un i ymddiswyddo a phrotestio oedd Dafydd — gweithio *oddi mewn* oedd ei bwyslais ond cyrhaeddodd ben ei dennyn yn y mater hwn a manteisiodd ar y cyfle yn y wasg i osod ei safbwynt.

Bydd eraill yn sôn am ei gyfraniad i Banel Gwerslyfrau Cyd-bwyllgor Addysg Cymru a'r Cyngor Llyfrau. Bydd yr *Atlas Cymraeg* (1987) a olygodd yn dystiolaeth i'w awydd i 'roi urddas i'r Gymraeg' ac i'w ddygnwch a'i weledigaeth tra pery'r iaith. Yr oedd yn ddrych o'i fywyd. Gwyddai i ble'r oedd am fynd a chynlluniai gyda manylder y ffyrdd gorau o gyrraedd y nod, ac 'roedd hynny'n cynnwys parch tuag at holl genhedloedd y byd.

Athro o'i gorun i'w sawdl, athro wrth reddf, oedd Dafydd; ymhyfrydai mewn esbonio a goleuo a gwyddai fod angen pwyll a dyfalbarhad, procio tawel a dygn, i gael y wers drosodd yn aml. Fel pob athro da, gwyddai nad oedd modd llwyddo gant y cant ond 'roedd ei 'Wel, rhagorol, yndê?' gorfoleddus pan gâi ei blesio a'i 'Wel, ia!' mewn penbleth a siomedigaeth, y naill fel y llall, yn arwyddo bod y frwydr i'w pharhau.

Brwydr barhaus yw cynnal a hyrwyddo'r iaith Gymraeg, mewn ysgol a choleg, mewn cyngor a chlwb — ac ar y cyfryngau hefyd; byddai Dafydd am inni barhau'r frwydr yn hyderus, a bydd meddwl amdano yn ein hatgoffa i wneud 'y pethau bychain' fel y gwnaeth ef mor gyson, ar gyngor ei nawddsant, drwy gydol ei oes.

Dafydd Orwig — Dyn y Blaid

DAFYDD IWAN

CYFUNIAD prin o'r gweledydd a'r dyn ymarferol oedd Dafydd Orwig. Credai'n angerddol yn achos Plaid Cymru, ac yr oedd ei ddyhead am weld Cymru'n rhydd i'w llywodraethu ei hun yn ddyhead dwfn iawn. Ond gwyddai yr un pryd fod llwyddiant unrhyw fudiad yn dibynnu ar waith caib a rhaw cyson. Fe wyddai nad oedd 'cyfiawnder yr achos' yn ddigon i sicrhau llwyddiant etholiadol i Blaid Cymru, a bod yn rhaid gwneud y gwaith palu ddydd ar ôl dydd, flwyddyn ar ôl blwyddyn.

Fel hynny y bydd llawer ohonom yn cofio am Dafydd Orwig. Ef oedd yr un a godai ar ddiwedd y cyfarfod, ar ganol cinio, yn ystod egwyl yn y Noson Lawen, cyn tynnu'r raffl, i'n hatgoffa fod ein blwyddyn aelodaeth yn dod i ben, bod cardiau aelodaeth newydd i'w cael ganddo ef ar y diwedd, bod posteri newydd i'w dosbarthu, taflenni newydd i'w rhannu, a bathodynnau ar werth. Fo fyddai yno i'n hatgoffa fod Cynhadledd i'w chynnal yn Aberystwyth, bod angen enwau cynrychiolwyr y canghennau, bod angen rhywun i fynd i ryw bwyllgor neu'i gilydd, a bod angen enwau ar gyfer canfasio yn Llandudno y Sadwrn nesaf. Dyma'r gwaith a wnaeth yn dawel ddirwgnach, ddiflino ar draws y blynyddoedd, am iddo wybod ym mêr ei esgyrn mai ar weithgarwch fel hyn y dibynnai llwyddiant yn y pen draw.

Y ffaith syml amdani yw na wyddai neb, ond ei deulu

agosaf, faint o heyrn oedd gan Dafydd yn y tân, na pha mor eang oedd rhychwant ei weithgarwch. Ond beth bynnag yr ymgymerai ag ef, fe gyflawnai'r gwaith â'r un trylwyredd manwl. Ni wn i am neb a gredai mor angerddol yng ngwerth y 'pethau bychain'; efallai ei bod yn swnio'n ystrydebol braidd, ond yn achos Dafydd Orwig, yr oedd cyflawni'r manion yn grefft gywrain. Hanes y rhan fwyaf ohonom yw dibynnu ar freuddwyd annelwig, a thân siafins achlysurol, brwdfrydedd ysbeidiol a chyfnodau hir o laesu dwylo. Ond nid felly Dafydd; tân a losgai'n isel a chyson oedd ei dân ef, a 'doedd ganddo ddim i'w ddweud wrth ddull y tân siafins o wneud pethau.

Nid oedd yn geffyl blaen naturiol, er iddo sefyll fel ymgeisydd seneddol yn Arfon yn 1959, a llwyddo i godi'r bleidlais o 16% i 21%. Ond sefyll a wnaeth am nad oedd neb arall ar gael i sefyll yn y bwlch arbennig hwnnw, nid am ei fod yn ysu am gael bod yn Aelod Seneddol. Yr oedd yn ymgeisydd brwd ac effeithiol, a 'does dim dwywaith ei fod wedi gosod sawl carreg sylfaen yn naear Arfon y gallodd Dafydd Wigley sefyll arnynt ymhen blynyddoedd wedyn. Ond dewisach ganddo oedd bod yn Drefnydd ac yn Gynrychiolydd i eraill. Bu'n Drefnydd i Blaid Cymru yng Ngheredigion am gyfnod, a bu'n Gynrychiolydd i ymgeiswyr seneddol y Blaid yn etholaeth Conwy am dros chwarter canrif. Fe wyddai fod amgylchiadau arbennig yr etholaeth honno wedi tynghedu'r Blaid i fod ar waelod y pôl am flynyddoedd ond ar yr un pryd fe wyddai nad oedd dewis ond sefyll, ymgyrchu a chanfasio'n drwyadl mewn etholiad ar ôl etholiad, ac y byddai'r gwaith yn dwyn ffrwyth ar ei ganfed ryw ddydd a ddaw. Rhaid wrth ffydd a dygnwch arbennig iawn i ddal ati o dan y fath amgylchiadau, ond i Dafydd, nid oedd dewis arall yn bod.

Pan sefais i yn etholaeth Conwy yn nechrau'r 80au, dysgais lawer gan Dafydd am ochr ymarferol rhedeg etholiad, y gwaith papur a chanfasio. Ond unwaith neu ddwy teimlwn yn flin wrtho am ei fod yn mynnu cadw fy nhraed ar y ddaear! Mae ymgeisydd yn gorfod magu rhyw ymdeimlad o hyder a gobaith os yw am wneud unrhyw beth ohoni, ac wedi cael ymateb gwell na'r cyffredin ambell ddiwrnod, 'roedd fy ngobeithion innau'n codi i'r entrychion, a hyd yn oed ennill yn bosibilrwydd. Ond ar adegau fel hynny teimlai Dafydd fel gosod fy nhraed yn ôl yn solet ar y ddaear go iawn: 'Na, rhyw bedair mil a hanner gawn ni, gewch chi weld.' 'Roedd Dafydd yn realydd, a gwnâi hyn er fy lles i yn fwy na dim arall, gan nad oedd am weld neb yn cael ei ddadrithio nac yn torri'i galon. Yr hyn sy'n rhyfeddol oedd ei allu i gyfuno'r realaeth hon â'r dygnwch a'r brwdfrydedd sydd fel arfer yn mynd law yn llaw â llwyddiant etholiadol. Ei gyfrinach, fel yr awgrymwyd eisoes, oedd ei ddawn i godi'r cerrig wrth ei draed tra'n cadw'i olygon ar ben draw eithaf y maes.

Pan ad-drefnwyd llywodraeth leol Cymru yn nechrau'r 70au, gwelodd Dafydd Orwig yn glir mai hwn oedd y cyfle mawr i droi nifer o'i ddyheadau dyfnaf yn weithredoedd ymarferol. Yn fwyaf arbennig, gwelai gyfle i ddatblygu addysg Gymraeg trwy'r Wynedd newydd, a chyfle i gywiro rhai o'r gwendidau a fodolai o dan drefn addysgol yr hen siroedd. I'r perwyl hwn bachodd ar y cyfle i gymryd ymddeoliad cynnar o'i waith fel darlithydd yn y Coleg Normal, fel y gallai ganolbwyntio'i egnïoedd ar waith Cyngor Gwynedd. Datblygodd yn naturiol i fod yn arweinydd grŵp cynghorwyr Plaid Cymru, ond ei gryfder oedd ei allu i gael cefnogaeth rhan helaethaf y grŵp

Annibynnol hefyd, a chyda threigl y blynyddoedd, dal i gynyddu yr oedd nifer cynghorwyr swyddogol y Blaid.

'Roedd ei gyfraniad yn y cyfnod allweddol hwn o 1974 i 1995 yn enfawr, nid yn unig o safbwynt addysg Gymraeg yng Ngwynedd ei hun, ond trwy ei waith ar y Cyd-bwyllgor Addysg, y Cyngor Llyfrau Cymraeg a nifer o gyrff eraill. 'Roedd ei ddylanwad yn ymestyn ymhell y tu hwnt i ffiniau Gwynedd, a hynny'n bennaf oherwydd ei barodrwydd i ysgwyddo'r baich. Nid pwyllgorddyn segur oedd Dafydd, ond un oedd yn barod i dynnu ei bwysau ar ba gorff bynnag yr oedd yn aelod ohono. Yr oedd hefyd yn ŵr hynaws a lwyddai i wneud ffrindiau â phwy bynnag y deuai ar eu traws, a gwneud hynny heb gyfaddawdu ei egwyddorion. Wrth iddo 'ddringo' ysgol gwasanaeth cyhoeddus ni chollodd Dafydd erioed olwg ar y frwydr galed, a bu'n aelod allweddol o Cefn o'r dyddiau cynnar. Ac os oedd yn gweld cyfle, nid oedd yn fyr o ddatgan cefnogaeth gyhoeddus i ymgyrchoedd Cymdeithas yr Iaith.

Yn wir, dros y blynyddoedd cymerodd ran ei hun mewn nifer o ymgyrchoedd, a gwneud hynny gyda'r un brwdfrydedd trylwyr a nodweddai ei weithgarwch mwy 'cyfansoddiadol'. O bryd i'w gilydd, wrth reswm, ni allai gytuno ag ambell weithred neu ddatganiad o eiddo'r Gymdeithas, a mynegai hynny'n ddiflewyn-ar-dafod wrth ei ffrindiau, yn fwy mewn tristwch na dicter. Er mai fel 'dyn y sefydliad' y caiff Dafydd Orwig ei gofio gan lawer, ni ddylem byth anghofio mai Cenedlaetholwr ydoedd a barhaodd yn effro i natur y frwydr fawr sylfaenol dros barhad y genedl Gymreig a ffyniant y diwylliant Cymraeg. Ni phallodd ei gefnogaeth di-sôn-amdano i lu o gyrff a mudiadau Cymreig; er enghraifft, mi wn i amdano fel un o gefnogwyr cynharaf a selocaf Cymdeithas Tai Gwynedd, ac un o'r cyfranwyr mwyaf sylweddol a pharod i sawl tysteb genedlaethol. Ni ddylid byth geisio gosod Dafydd mewn rhigol rhy gul; yr oedd maes ei ymroddiad ymarferol yn ehangach nag a ŵyr neb.

Pan ddaeth yr ad-drefnu ar lywodraeth leol ar ein gwarthaf yn 1995, yr oedd Dafydd Orwig mor ymwybodol â neb o'r peryglon. Tra'n cydnabod bod yna fanteision yn deillio o gael un haen o lywodraeth, y perygl mawr oedd bod yr ad-drefnu hwn yn codi o awydd arall, sef yr awydd gan lywodraeth Llundain i ddirymu democrat-iaeth leol ymhellach a symud mwy o bwerau i ddwylo'r Cwangos anetholedig. Ac ar yr un pryd, gwyddai Dafydd cystal â neb fod yr ad-drefnu hwn yn gam pellach i ddileu grym yr Awdurdodau Addysg Lleol. Yn wir, 'doedd dim gorfodaeth statudol ar yr Awdurdodau newydd i fod yn Awdurdodau Addysg o gwbl, gan fod pob grym gweithredol eisoes wedi ei drosglwyddo i lywodraethwyr pob ysgol unigol. Ac ar ben hynny, 'roedd peryg y byddai rhannau o'r hen Wynedd yn colli arweiniad mor bell ag yr oedd addysg Gymraeg yn bod. Ond yn hynny o beth, teg yw cydnabod y gwaith mawr a wnaed gan Dafydd ar gyrff oedd yn cydlynu polisïau iaith ar draws Gogledd-orllewin Cymru, ac y mae'r gwaith ymchwil gwyddonol-fanwl a wnaed yn y maes hwn yn sylfaen gadarn i adeiladu arni i'r dyfodol.

Ond rhaid oedd derbyn y drefn newydd, a'i throi o fantais i Gymru. A llawenydd mawr olaf gyrfa wleidyddol Dafydd Orwig oedd gweld Plaid Cymru yn cipio'r awenau yn yr etholiadau lleol yng Ngwynedd yn 1995, ac yntau'n cael ei ethol yn unfrydol fel Cadeirydd cyntaf yr Wynedd newydd. 'Doedd neb arall a fedrai dynnu cefnogaeth o bob plaid fel Dafydd, ac yr oedd iddo barch cyffredinol o du'r aelodau a'r swyddogion fel ei gilydd. Seiliwyd y parch hwnnw nid yn unig ar ei bersonoliaeth hynaws, ond ar ei brofiad helaeth o lywodraeth leol a'i waith paratoi manwl. Fel Cadeirydd, yr oedd yn aelod o bob pwyllgor ac yr oedd y mynydd o bapur a gyrhaeddai Cilcafan yn enfawr. Ond go brin y byddai unrhyw beth o bwys yn llwyddo i osgoi ei sylw; gall pob Cadeirydd dystio i'r galwadau ffôn hwyrol yn tynnu sylw at bwynt neu ddau yn rhaglen y pwyllgor drannoeth, a'r gair o gyngor cynnil. Wrth gadeirio ei hun, dangosai ôl ei waith paratoi yn amlwg, ond ar yr achlysuron prin hynny pan dynnai aelod ei sylw at wall neu bwynt nad oedd wedi dal ei lygad, deuai'r wên chwareus honno i'w wyneb, cystal â dweud, 'Da iawn chi, hogia!'. 'Doedd dim yn well ganddo na gweld fod yr aelodau hwythau wedi gwneud eu gwaith cartre'.

Colled enfawr i'r Wynedd newydd oedd na chafodd elwa ar Gadeiryddiaeth Dafydd Orwig yn y cyfnod gweithredol. Ond sicrhaodd ei ymrwymiad a'i brofiad helaeth fod y sylfeini wedi eu gosod yn gadarn, ac yn arbennig felly y polisi o weithredu trwy gyfrwng yr iaith Gymraeg. Ac er iddo adael bwlch ar ei ôl nad oes dichon i neb ei lenwi yn iawn, y gobaith yw y bydd y Wynedd newydd, fel y Cyngor Unedol cyntaf i gael ei arwain gan Blaid Cymru, yn datblygu i fod yn gofadail deilwng i un o'r Cymry mwyaf ymroddedig ac ymarferol ei weledigaeth a welodd ein cenedl erioed.

Dafydd — Y Dinesydd Ewropeaidd

ALLAN WYNNE JONES

MAEN nhw'n dweud nad oes dim cystal â mynd ar daith hir gyda rhywun i ddod i'w adnabod yn dda. Dyna a ddigwyddodd i mi gyda Dafydd beth bynnag. Er i ni gwrdd ar draws bwrdd yn ffurfiol sawl tro, 'doeddwn i ddim yn teimlo fy mod wedi cael cyfle i'w adnabod yn iawn cyn i ni'n dau fynd ar 'daith iaith' o gwmpas Euskadi, Gwlad y Basg, yn 1987.

Bu'r daith ymweld honno, dan nawdd y Comisiwn Ewropeaidd, yn agoriad llygad ac yn ysbrydoliaeth i'r ddau ohonom, ac yn gyfrwng cyfeillgarwch a ddwysaodd tros y degawd dilynol. O'r cyfnod hwnnw ymlaen teimlwn fy mod ar yr un donfedd â Dafydd.

Pwrpas y daith oedd dangos i griw ohonom o wahanol gymunedau ieithyddol yn yr Undeb Ewropeaidd ymdrechion y Basgiaid i adfer eu hiaith. Er bod Dafydd a minnau eisoes yn rhan o rwydwaith Biwro Ewropeaidd yr Ieithoedd Llai, 'roedd yn syndod i ni bod cymaint o ddatblygiadau ieithyddol cyffrous ar y gweill yn Euskadi, a ninnau yng Nghymru heb glywed amdanynt o gwbl. 'Roedd Dafydd yn methu deall sut y bu'r wasg Gymreig yn ddall a'n cyfryngau cenedlaethol yn fyddar i nifer o newidiadau a oedd o arwyddocâd arbennig i Gymru.

Cofiaf yn dda y syndod ar wyneb Dafydd wrth i ni ddeall bod y Basgiaid wedi cael refferendwm ar fesur o ymreolaeth dros ran helaeth o'u tiriogaeth yn 1979 ac wedi pleidleisio'n ysgubol tros sefydlu senedd.

Cofiaf yn dda ei ryfeddod wrth wrando ar oblygiadau Deddf Iaith Euskadi — yr union fath o ddeddf iaith gref 'roedd Dafydd yn ymgyrchu drosti yng Nghymru.

Cofiaf y cyffro wrth eistedd gydag ef yn senedd-dy moethus y Basgiaid yn Vitoria-Gasteiz, a dysgu am y grym oedd ganddynt ac am gryfder eu pleidiau cenedlaethol.

Cofiaf ei amheuaeth o glywed bod rali codi arian dros yr iaith Euskara ym mhentref bach glan môr Zarautz yn debygol o godi chwarter miliwn o bunnoedd mewn un diwrnod! Ac yna'r gorfoledd a ddangosodd ar ôl i'r ddau ohonom, fel cyn-ddaearyddwyr, wneud bras amcangyfrif o'r dorf a dod i'r casgliad bod y 150,000 o orymdeithwyr yn siŵr o gyrraedd y targed ariannol yn hawdd.

Cofiaf fod gyda Dafydd ym Mhrifysgol newydd Gwlad y Basg, yn cael ein tywys o gwmpas ysgol haf oedd yn paratoi deunyddiau dysgu yn Euskara, a chlywed ei feirniadaeth hallt o ddiffygion darpariaeth ddwyieithog Prifysgol Cymru. 'O, fy mhrifysgol!' oedd ei eiriau mewn erthygl ddilynol.

A chofiaf, â rhyw hanner gwên, y cymysgwch o ddychryn a chwilfrydedd ar wyneb Dafydd wrth i ni brofi ffyrnigrwydd heddlu Sbaen yn saethu nwy-dagrau i ganol gwrthdystwyr gwleidyddol yn hen ddinas Donostia — San Sebastian. 'Roeddem wedi cael rhybudd i gadw draw o'r achlysur — ond 'roedd hynny gystal â gwahoddiad i Dafydd!

Wedi dod adref aeth Dafydd ati'n ddiflino mewn erthyglau, cyfweliadau, areithiau a chyfarfodydd i drosglwyddo profiadau perthnasol y Basgiaid i'w gyd-Gymry. Arweiniodd hynny yn uniongyrchol at sawl taith debyg i Wlad y Basg gan gynllunwyr iaith o Gymru ac, yn anuniongyrchol, at lawer mwy o fynd a dod rhwng y ddwy genedl tros y degawd dilynol.

Cyfaddefodd Dafydd i'r ysbrydoliaeth a brofodd yn ystod yr ymweliad ag Euskadi roi ei waith dros Fiwro Ewropeaidd yr Ieithoedd Llai mewn persbectif gwahanol. Sylweddolodd o'r newydd yr hyn oedd i'w ennill o agor sianelau rhwng cymunedau ieithyddol. Cafodd dystiolaeth ddiguro o fanteision trosglwyddo profiadau o un iaith i'r llall ac fe'i hatgoffwyd o'r gwirionedd syml mai 'mewn undod mae nerth'. Honnodd fod cymaint i'w ennill pe bai mudiadau iaith yr Undeb Ewropeaidd yn fodlon cydweithio'n adeiladol a chreadigol.

'Roedd Cyngor Sir Gwynedd eisoes wedi chwarae rhan allweddol yn sefydlu'r Biwro, yn ôl yn 1982, gan mai'r Prif Weithredwr, Ioan Bowen Rees, oedd un o'r aelodau sylfaenol. Ymhen ychydig, etholwyd Dafydd yn Gadeirydd Is-bwyllgor Cymru, ac yna Pwyllgor y Deyrnas Gyfunol ('Mae'n bell o fod yn Unedig!' meddai Dafydd). Trwy hynny daeth yn aelod llawn o gyngor rhyngwladol y Biwro am o leiaf chwe blynedd cyn iddo ymddiswyddo o wirfodd 'i wneud lle i eraill gael yr un profiad'.

Sylweddolodd Dafydd o'r dechrau fod datblygu rôl y Biwro ym Mhrydain yn gymhleth: cysylltiadau gwasgaredig; diffyg ymwybyddiaeth o gyfraniad cydymdrechu; adnoddau ariannol prin; dim staff llawn-amser; cyfarfodydd anaml — weithiau fisoedd rhyngddynt; anwybodaeth ynglŷn â phwy oedd pwy yn yr ieithoedd eraill a gynrychiolid ar y pwyllgor — Gaeleg, Gwyddeleg, Cernyweg, Sgoteg.

'Roedd y Biwro'n gyfrwng gwych i arddull Dafydd o gadeirio. Rhaid oedd paratoi'n drwyadl, sgwrsio ymlaen llaw ar y ffôn gyda hwn a'r llall, gwneud yn siŵr bod y mynych aelodau newydd yn adnabod pawb ac yn teimlo'n hyderus i siarad, cymell pawb i gyfrannu'n gryno a chadw pethau i fynd yn sionc — yng Nghymru beth bynnag.

Ond wrth arwain cyfarfodydd lle dôi cynrychiolwyr y Gaeleg, yr Wyddeleg, y Gernyweg, y Sgoteg yn ogystal â'r Gymraeg at ei gilydd ar ôl teithiau blinderog a rhwystredig, 'roedd Dafydd yn deall yn iawn yr awydd gan lawer i gyfiawnhau eu presenoldeb a chael dweud eu dweud. Trwy hynny datblygodd llawer o bwyllgorau'r pum iaith i fod yn gynadleddau bywiog ac addysgiadol. Dan ei arweiniad, daethom ni yng Nghymru i adnabod arweinwyr, deall sefydliadau, gwybod tueddiadau a gwerthfawrogi cryfderau cyfeillion yn yr Alban, Cernyw a Gogledd Iwerddon.

Ond nid trwy lywio cyfarfodydd yn unig y gwnaeth Dafydd gyfraniad i'r Biwro; am flynyddoedd ef oedd yn cynrychioli Cymru ar y Cyngor rhyngwladol. Er bod y galwadau tramor i Fraichmelyn yn aml, 'doedd Dafydd ddim yn fodlon eistedd yn ôl gan ymateb i ymholiadau'n unig. Aeth ati felly i drefnu, ac i redeg am flynyddoedd, wasanaeth toriadau o'r wasg am Gymru, yr iaith a'r diwylliant gan ddosbarthu'r pecyn yn rheolaidd i'w hen ffrindiau yng Ngwlad y Basg, ond hefyd i nifer cynyddol yn Ffryslan, Catalwnia, Ffriwli, Corsica, Sardinia, ac ati. O'r *Western Mail* y daeth nifer helaeth o'r toriadau, gan fod Dafydd wedi digio gydag agwedd wrth-Gymreig y *Daily Post* ers blynyddoedd!

Trodd llawer o dramorwyr ato am gyngor a chefnogaeth. Nid yn unig 'roedd Dafydd yn fodlon cynorthwyo myfyrwyr ac ymchwilwyr i greu cysylltiadau yng Nghymru, ond fe fyddai ef a Beryl yn rhoi llety i amryw ohonynt yng Nghilcafan, ac nid am ambell noson yn unig!

Yn ogystal â thynnu ei bwysau trwy lythyru miniog, 'roedd yn lobïwr da. Dywedir i'w frwdfrydedd amlwg, ei eiriau cymedrol a'i Saesneg graenus greu cryn argraff ar weision sifil amheus yng Ngogledd Iwerddon, ac mae sefydliadau iaith yn dal i gydnabod ei gyfraniad digofnod i dwf addysg ddwyieithog yno.

'Roedd cysylltiadau eang Dafydd yng Nghymru yn golygu y gallai, yng nghyfarfodydd Cyngor y Biwro, gyflwyno newyddion am ddatblygiadau iaith Cymru gydag awdurdod. Yna, rhwng cyfarfodydd y cyngor, 'roedd yr wybodaeth helaeth hon ar gael i swyddogion y Biwro, a gwelir eu cydnabyddiaeth i'w gymorth ymarferol mewn sawl llyfryn, adroddiad a fideo a gyhoeddwyd yn ystod y cyfnod.

Ar adegau yn hanes y Biwro bu ei gyfraniad yn allweddol. Er enghraifft, yn y dyddiau cynnar 'roedd yn ddylanwad iach i gadw trafodaeth mewn trefn, gan feirniadu'n hallt rai o'r aelodau o Dde Ewrop a oedd yn fwy awyddus i athronyddu nag i benderfynu. Roedd Donall O Riagain, Ysgrifennydd Cyffredinol y Biwro, yn ystyried Dafydd yn graig ac yn amddiffynfa, wastad yn barod i siarad ar ddiwedd dadl anodd pryd y byddai'n gallu tynnu nifer o linynnau gwasgaredig at ei gilydd mewn casgliad cynhwysfawr, unedig. *'He improved the quality of our meetings, because he knew how to handle democratic debate. Dafydd was a highly respected member, very committed and extremely wise. He combined his own radical views with a pragmatic approach — and achieved results,'* meddai Donall amdano.

Mae sôn yn unig am y dimensiwn Ewropeaidd ym

mywyd cyhoeddus Dafydd yn annigonol oherwydd 'roedd ganddo wybodaeth eang am ddatblygiadau ieithyddol, diwylliannol a gwleidyddol byd-eang. Deallaf iddo dreulio amser pan oedd ar wyliau yng Ngogledd America yn dysgu am drafferthion diwylliannol yr Indiaid, gwaith a ddaeth yn sail i'w aml ddarlithoedd i gymdeithasau Gwynedd ar yr Americaniaid brodorol.

'Does dim dadl na wnaeth personoliaeth heintus Dafydd gyfrannu at ddelwedd y Gymraeg a'i sefydliadau mewn cylchoedd Ewropeaidd. Gallwn olrhain tarddiad llawer o glymau trawsffiniol rhwng ysgolion, cymdeithasau, perfformwyr a chyrff gwirfoddol, ac enwi dim ond rhai, i'w gyflwyniadau ac i'w gyffyrddiad.

'Roedd Dafydd yn argyhoeddedig ei bod yn bosibl atal llanw unffurfiaeth ieithyddol rhag llifo tros gyfandir Ewrop. Fel yr hogyn bach chwedlonol o Ffryslan a roddodd ei fawd yn y deic, gwyddai ymhle, pryd a sut i sefyll dros yr hyn a gredai.

'Amser yw'r Gelyn'

ELERI CARROG

MAE'N debyg mai trwy'r ymgyrch heddwch y deuthum i ddechrau adnabod Dafydd yn iawn. Ni allai ddod yn aml i gyfarfodydd Fforwm Gwynedd Ddi-niwcliar yn y 70au, ac mae'r rheswm pan ffoniai i ymddiheuro na allai ddod yn adleisio yn y cof byth: 'Amser yw'r gelyn'. Y cadernid distaw, y cwrteisi cyson, yr egwyddorion cryf, a'r gefnogaeth gadarn oedd y nodweddion o'i gymeriad a'm trawodd yr adeg honno ac y deuthum i'w gwerthfawrogi fwyfwy yn y deng mlynedd a mwy y bu'n Gadeirydd Cefn.

Sylwais yr adeg honno ac fe'i profais drosodd a throsodd yn ein hymwneud â'n gilydd wedyn: os addawai wneud unrhyw beth, 'waeth pa mor fychan, byddai'n sicr o'i gyflawni. Rhoddai nodyn i'w atgoffa ei hun yn ei lyfr bach, a chyn sicred â phader, o fewn ychydig ddyddiau byddai'n fy ffonio yn ei ffordd drefnus, heb wastraffu nac amser na geiriau, i roi'r wybodaeth i mi.

Yn dilyn helynt achos Tribiwnlys Bae Colwyn lle cafwyd Cyngor Sir Gwynedd yn euog o hiliaeth am fod eisiau cyflogi gweithwyr dwyieithog i gartref henoed, lansiwyd Cefn yn Eisteddfod Y Rhyl yn 1985, 'Roedd Dafydd yno o'r cychwyn ac yn barod i fod yn rhan o'r gwaith. Cofiaf iddo ddod â drafft Deddf Iaith i mi i'r babell funud-olaf honno oedd gan y mudiad newydd-anedig ar faes yr Eisteddfod gan roi i mi gefndir pobl a digwyddiadau na wyddwn amdanynt. Yn ei ffordd ddistaw 'roedd yn rhoi cwrs carlam i newyddian yn yr ymgyrch iaith i sicrhau y byddwn yn dechrau ar y llinellau iawn — er mai wedyn y sylweddolais hynny. Siaradodd yn gadarn yng nghyfarfod cyntaf Cefn gydag I. B. Griffith yn cadeirio, gan rannu'r llwyfan yn yr Eisteddfod â Gwilym Prys Davies, un arall a ddaeth yn gefnogwr cadarnaf a mwyaf dibynadwy Cefn ar hyd y blynyddoedd.

Esboniodd Dafydd wrthyf wedyn pam yr oedd mor sicr bod angen sefydlu Cefn fel mudiad a pham yr oedd mor barod i'w hyrwyddo. 'Roedd mudiad tebyg ei amcanion wedi ei godi ddegawd ynghynt yn Aberystwyth. Credai Dafydd iddo wneud un o gamgymeriadau mwyaf ei fywyd yr adeg honno drwy gymryd ei berswadio gan Gymdeithas yr Iaith i bwyso yn erbyn gan y credai'r Gymdeithas mai peth drwg i'r ymgyrch iaith yn gyffredinol fyddai bodolaeth dau fudiad. Bu'n 'difaru ei enaid wedyn. Ni chryfhaodd y Gymdeithas trwy fygu'r newydd-anedig, eto collwyd egni nifer dda o bobl a fuasai wedi bod yn gartrefol mewn mudiad gyda swyddogaeth a dulliau o weithredu gwahanol i'r Gymdeithas er mai'r un a fyddai'r amcanion, sef gwarchod a chryfhau ein hiaith a'n diwylliant, a sicrhau parhad y genedl. Teimlai Dafydd fod colled wedi bod yr adeg hynny ac yr oedd yn bendant fod angen mudiad fel Cefn.

Siaradai am 'y mudiad cenedlaethol' fel peth llawer ehangach nag un blaid ac un gymdeithas: gwelai bobl o bob math yn rhan ohono os oeddynt yn ymgyrraedd at yr un nod, er na wisgent yr un lifrai na llefaru'r un geiriau. 'Doedd dim yn gul na chenfigennus yn Dafydd: 'roedd lle i bawb wneud eu cyfraniad ac yr oedd bob amser yn barod i gydnabod gwaith pobl eraill. Edrychai ymhellach na labeli. Cofiaf yn ein cyfarfod cyhoeddus cyntaf ar ôl yr Eisteddfod, ym Mhlas Menai, iddo ddyfynnu darn a soniai am gyn lleied yr oeddem wedi ei wneud dros ein hiaith, a gwnaeth hyn argraff ddofn arnaf. Nid oedd lle ym mywyd Dafydd i unrhyw ystum o'r 'fi fawr': y gwaith, a'i wneud yn effeithiol, oedd yn bwysig.

'Roedd yn Gadeirydd gwych, yn symud pethau ymlaen gyda'i gwrteisi di-ffael, yn gwerthfawrogi beth oedd yn cael ei wneud gan eraill, yn cynnig syniadau ac addo cyflawni pethau ei hun. 'Roedd Pwyllgor Gwaith Cefn yn symud bron fel un. Pan welai wendidau, ni fyddai'n beirniadu. Cynnig ateb i wella sefyllfa oedd ei ffordd. Daeth i weld yn fuan nad oedd fy Nghymraeg i yn gywir o bell ffordd, ar ôl addysg Seisnig Ysgol Ramadeg Caernarfon a deng mlynedd yn Lloegr, a chynigiodd yn syth edrych dros unrhyw waith yr oedd angen ei gyhoeddi: swyddogaeth a wnaeth o bryd i'w gilydd am flynyddoedd gan ddysgu i mi ffyrdd handi o gofio pethau. 'Mae "fyny" yn debyg i fynydd", meddai i'm dysgu mai un 'n' oedd i'r gair.

'Roedd wedi gweithio am flynyddoedd ar yr un math o waith â gwaith Cefn o dan fantell yr Is-bwyllgor Iaith a sefydlwyd gan Gyngor Gwynedd. Dafydd, mae'n debyg, a sicrhaodd sefydlu'r Is-bwyllgor drwy gynnig na fyddai'n Is-bwyllgor gydag oblygiadau ariannol i'r Cyngor ac felly ei gael drwodd: pe bai oblygiadau gwariant tybiai y byddai gwrthwynebiad. Yn raddol daeth pwysigrwydd cynyddol i lythyrau'r Is-bwyllgor at gyrff fel y Rheilffyrdd Prydeinig ynglŷn â defnyddio'r Gymraeg ar arwyddion gorsafoedd ac ar amserlenni, ac wrth gwrs i roi pwysau ar y Swyddfa Gymreig i gael arwyddion ffyrdd dwyieithog ac yna i gael y Gymraeg uwchben y Saesneg yng Ngwynedd a Dyfed.

Mae darllen ei lythyrau byr a phwyllog — ei ffordd o gael un maen i'r wal ar y tro, a'i ddadlau rhesymol, cadarn — yn addysg ynddo'i hun.

Anaml iawn y bu i ni anghydweld. Mae'n debyg fy mod i'n llawer iawn mwy o optimist na Dafydd. O edrych yn ôl, mae'n debyg fod Dafydd wedi dod i arfer â chyfaddawdu rhag colli dadl yn ei flynyddoedd ar gyngor heb fwyafrif o'i blaid. Cofiaf yr adeg pan oedd Arial Thomas, trysorydd Cefn, a minnau wedi trefnu i fynd i weld Frederick Dawson i drafod yr achos ym Mhorthmadog lle bu i'w ysgrifenyddes, Sharon Lewis, adael ei gwaith am iddi gael ei gwahardd ganddo rhag siarad Cymraeg gyda'i chyd-weithiwr. 'Roedd Arial a minnau wedi trafod ein strategaeth ymlaen llaw a pha gytundeb yr oeddem am ei gael. Gan y byddai amser yn brin ar ôl y cyfarfod ac y byddai'n rhaid wynebu'r wasg a'r cyfryngau yn syth yr oeddwn wedi paratoi drafft-ddatganiad i'r wasg ar y sail y byddem yn ennill y dydd. Fel arfer 'roeddwn wedi ffonio Dafydd, fel y Cadeirydd, i fynd dros bopeth, gan gynnwys geiriad y datganiad.

Fe'm synnodd yn llwyr. 'Chewch chi byth mo Dawson i dderbyn hynna' oedd ei eiriau yn syth. 'Roedd hyn yn sioc i mi ond gwyddwn fod Dafydd yn llawer mwy profiadol na mi. Felly bûm ar fy nhraed nos yn gweithio allan beth fyddem yn ei ddweud mewn datganiad i'r wasg pe *na* baem yn cael cytundeb, a pha ffyrdd eraill y byddem yn eu dilyn wedyn er mwyn ennill y dydd.

Er mawr syndod i Dafydd, ar ôl cyfweliad gweddol hir ac anodd iawn ar brydiau, llwyddasom i gael Dawson i sylweddoli na allai ddal ymlaen â'i agweddau a bu rhaid iddo syrthio ar ei fai a rhoi 'ymddiheuriad i'r genedl'.

(Cyfaddawd oedd hyn yn ei olwg ef gan na allai stumogi rhoi ymddiheuriad i Sharon Lewis, ac yn amlwg 'roedd 'y genedl' yn golygu llawer llai iddo: ond i ni ac i Gymru 'roedd yn golygu llawer iawn mwy a gwyddem fod 'y genedl' yn cynnwys Sharon ei hun, wrth gwrs.) Ni bu rhaid i mi ddefnyddio'r ail fersiwn o'r datganiad i'r wasg. Eto, trwy hyn dysgais mai da o beth oedd cael ail strategaeth yn barod rhag ofn na fyddai ein cynllun cyntaf yn llwyddiannus. Mae gennyf nifer fawr o ddrafft-ddatganiadau i'r wasg yn dilyn gwahanol achosion nad oedd rhaid i mi eu defnyddio, diolch byth.

Hwn oedd yr achos cyntaf o ennill mewn sefyllfa o'r fath mi gredaf, ac wrth gwrs daeth syniad o ffurfioli cytundeb yn ddiweddarach mewn Cyfamod Iaith — syniad a addaswyd gennyf gyda chefnogaeth brwd Dafydd a'r Pwyllgor Gwaith o drefniant yng Ngwlad y Basg y clywais amdano mewn cynhadledd iaith yn Nyfed beth amser wedyn.

Bu ychydig eiriau Dafydd ar y ffôn yn bwysig iawn yn fy mywyd personol hefyd. Bûm yn canlyn ag Iddew o Israel a gyfarfûm ar ochr un o fynyddoedd Eryri ryw dair blynedd ynghynt, ac er iddo ddysgu Cymraeg yn Llanbed er fy mwyn, 'roedd yr amser wedi dod i ddewis gwlad. 'Roeddwn mewn penbleth gan fod Aviv yn pwyso y dylwn ei briodi a mynd i fyw i Jerusalem, ac am unwaith yn fy mywyd roeddwn yn methu â phenderfynu. Ffoniais Dafydd a dweud wrtho beth oedd y sefyllfa. Nid yn aml yr oedd Dafydd yn awdurdodol ond 'Allan o'r cwestiwn!' meddai'n syth, a theimlwn ryddhad mawr yn ogystal â thristwch. Wrth gwrs, yr oedd allan o'r cwestiwn. Yng Nghymru yr oeddwn i fod ond 'roedd yn gymorth garw cael llais Dafydd i'm sicrhau ar hyn. Yn nodweddiadol ohono, wnaeth o byth gyfeirio at y peth wedyn.

Mae'r disgrifiad a baratôdd Dafydd i gyfarfod cyhoeddus Cefn yn Eisteddfod 1995 o gyfarfod a gawsom gyda pherchennog siop ym Metws-y-coed yn drawiadol:

Cyfarfod am 2.30 yn swyddfa Cefn yng Nghaernarfon. Eleri a minnau a Ken Rees, dysgwr ac aelod o Cefn a Geoffrey Tyson a'i reolwr ifanc o Sais, Dave Woolgar.

'Roedd Tyson yn ŵr tal a barfog a llygaid mawr ac yn amlwg yn bur nerfus. 'Roedd y tri ohonom ni'n gadarn ac yn galed ond yn gwrtais, a'r broblem oedd ceisio cael Tyson i weld fod ei agwedd yn hollol annerbyniol. Fe fuon ni wrthi'n ddygn am dros ddwyawr . . . dwi'n cofio imi ofyn i Tyson a oedd 'rioed wedi ystyried beth fyddai wedi digwydd iddo fo a'i iaith petai Hitler wedi goresgyn gwledydd Prydain. Ymhen hir a hwyr dan ddylanwad ein bombardio cyson ni a chymorth y rheolwr ifanc fe lwyddwyd i gael Tyson i weld ei fod wedi pechu'n anfaddeuol yn erbyn y Cymry, ac i gytuno newid ei bolisi ynglŷn â'r Gymraeg.

A dyna'r tri gair allweddol: 'yn gadarn, yn galed ond yn gwrtais' a'r ffordd drawiadol oedd gan Dafydd i geisio cael y person arall i'w roi ei hun yn ein sefyllfa ni.

Un olygfa arall sy'n fyw yn fy meddwl am iddi wneud argraff ddofn arnaf oedd galw i weld Dafydd sawl blwyddyn yn ôl a Beryl yn dweud ei fod yn y garej. Dyna lle 'roedd un o gynghorwyr gorau Cymru yn sefyll mewn hen facintosh yn yr oerfel gan droi handlan peiriant dyblygu i wneud 400 copi o ddogfen yr oedd am i aelodau o'r Blaid yn y dyffryn ei chael. 'Roedd y gwaith angen ei wneud, neb arall wedi cynnig, felly dyna Dafydd yn ei wneud ei hun. Oni bai i mi alw, fuaswn i byth yn gwybod: ni fyddai byth yn cwyno am eraill na'i frolio ei hun.

Yr oedd ei barch at bobl a'u teimladau yn anghyffredin o ddwfn. Dywedodd un o swyddogion y Cyngor wrthyf y byddai Dafydd bob amser yn curo ar ei ddrws a disgwyl i weld a fyddai'n gyfleus iddo gael gair ag ef: byddai'n ymddiheuro pe byddai'r swyddog ar y ffôn, gan ddweud y gallai alw eto. Gwahanol iawn i ymddygiad nifer fawr o gynghorwyr, yn ôl y swyddog, a gredent yn eu holl-bwysigrwydd eu hunain.

Yr oedd yn un i gofio a dal dig ar adegau: wrth y *Daily Post* am ei ymddygiad gwrth-Gymreig adeg Tryweryn — ni phrynodd y papur wedyn; ac wrth Clive Betts o'r *Western Mail* a dorrodd gyfrinach *'off the record'*, ac ni wnâi Dafydd unrhyw beth ag ef wedyn. Lle cafodd ei siomi neu ei gythruddo neu ei fradychu gan bobl, ni chredai mewn rhoi ail-gyfle i gamwedd. Os oedd rhaid ymwneud â hwy, gwnâi hynny yn gwbl broffesiynol, cwrtais a chadarn, a chadwai ei farn amdanynt o dan reolaeth lwyr heblaw ymysg ffrindiau.

Cofiaf hefyd, wrth i ni deithio drwy Gymru, iddo sôn am ei ddwy flynedd fel trefnydd i'r Blaid ar ôl gadael coleg, a'i farn mai gwych o beth fyddai i bob person ifanc roi dwy flynedd o 'wasanaeth cenedlaethol i'w wlad' mewn ffordd debyg.

Rhoddodd Dafydd ei fywyd i'w wlad ac anodd yw dygymod â'r golled enfawr o'i farwolaeth gynamserol. 'Amser yw'r gelyn' yn wir.

Atgofion . . . 'Godidog'

NEVILLE HUGHES

PRYNHAWN Sadwrn, 5 Hydref 1996 oedd hi pan ganodd y ffôn. Beryl Orwig oedd ar y pen arall, â phryder yn ei llais. 'Dydi Dafydd ddim yn dda iawn heddiw, ac mi fyddai'n well i ni beidio mentro dŵad i swper Cymdeithas Deugant Conwy heno.' Gwyddwn fod hyn yn siom enfawr i Dafydd oherwydd ei fod wedi edrych ymlaen at gael dod i'r swper a'r cyfarfod blynyddol yn Llanfairfechan y noson honno. Yn wir, 'roedd wedi gosod y noson hon fel nod iddo'i hunan, mai dyma fyddai ei gyfarfod cyntaf yn dilyn diwedd ei gwrs o driniaethau yn Ysbyty Gwynedd ym mis Medi. Pwy arall yn yr un sefyllfa a fyddai wedi hyd yn oed ystyried y fath beth? Ond dyna fo. Un fel yna oedd Dafydd, gŵr yn edrych ar bethau yn gadarnhaol, edrych ar yr ochr olau o hyd. Ac felly y bu, cyn ei lawdriniaeth fawr ddiwedd Ebrill 1996, ac wedyn.

Enghraifft arall o'r agwedd bositif yma oedd iddo gynhyrchu cardiau arbennig i ymddiheuro na fyddai ar gael i wasanaethu ei etholwyr am rai misoedd, ac i'w hysbysu y byddai yn ôl wrth ei waith fel arfer o fis Medi ymlaen.

Ar y llaw arall 'doedd o ddim yn anwybyddu realiti'r sefyllfa yn llwyr, na'r hyn a allai ddigwydd iddo, er bod hynny wedi ei wthio i gefn ei feddwl i bob golwg. Wedi galw heibio yma 'roedd o, fel y byddai'n gwneud yn aml ar ryw berwyl neu'i gilydd ynglŷn â materion y Blaid. 'Ga' i ofyn cymwynas i chi, Nev? 'Dach chi'n gwybod fy mod i'n mynd i mewn i gael llawdriniaeth mis nesa'. Mae'r arbenigwr yn fy sicrhau bod 'na lawer wedi dod drwyddi yn iawn yn y gorffennol, ond 'rydw i wedi penderfynu paratoi ewyllys — jyst rhag ofn! Tybed fasach chi'n medru bod yn un o'r tystion — chi ac Alun Ogwen? Gyda llaw, 'dydi Beryl yn gwybod dim am hyn, felly peidiwch â sôn am y peth wrthi. Mae hi'n poeni digon fel mae hi!'

Oedd, 'roedd y trefnydd trylwyr ynddo yn ei amlygu ei hun hyd yn oed ar adeg fel hyn. Aeth ati yn gydwybodol i ofalu bod yr amryfal ddyletswyddau yr oedd ef yn gyfrifol amdanynt yn cael eu gwneud yn ystod ei absenoldeb. Trefnodd ddirprwyon ar gyfer pob maes o'i weithgarwch — Plaid Cymru, Eisteddfod Dyffryn Ogwen, Y Gymdeithas Ddiwylliadol, Llais Ogwan, Cyngor Gwynedd, ac yn y blaen — er mwyn sicrhau fod 'yr olwynion yn dal i droi', chwedl yntau, a bod popeth yn mynd ymlaen yn hwylus hyd nes y byddai wedi gwella.

Fe fyddai rhywun wedi meddwl y byddai Dafydd yn anghofio am bethau fel hyn am y tro, ond i'r gwrthwyneb — fe ddaliodd i gymryd diddordeb byw ym mhopeth drwy gydol cyfnod ei waeledd. Deallaf mai un o'r pethau cyntaf a ofynnodd i Beryl wedi iddo ddod ato'i hun drannoeth ei lawdriniaeth yn Ysbyty Gwynedd oedd, 'Sut aeth hi yn Ocsiwn y Blaid yn Neuadd Ogwen?' A rhaid i Beryl oedd holi, a throsglwyddo'r wybodaeth iddo ar fyrder. Wedi iddo adael yr ysbyty a dychwelyd i Gilcafan, ac yntau mewn gwendid mawr, 'doedd Dafydd fawr o dro cyn dechrau 'gwneud pethau' — o'i gadair. Darllenai lawer, wrth gwrs, ac ysgrifennai lythyrau a chardiau di-ri'. Byddai'n rhoi 'tonc' (dyna'r gair a ddefnyddiai ef) i mi ar y ffôn yn bur fynych, ddwywaith neu dair ambell ddiwrnod, i ymdrin â manion bethau'r Blaid gan amlaf.

'Ia . . . Dafydd sy' 'ma!' fyddai ei gyfarchiad bron yn ddieithriad, neu, 'Ia . . . swnyn sy' 'ma — eto!' os byddai'n fy ffonio am yr eildro. A phan fyddwn i'n galw i'w weld yng Nghilcafan gallwn fod yn weddol sicr y byddai'r clipfwrdd ffyddlon gerllaw, ac arno restr i'w atgoffa ef, a minnau, am faterion oedd angen sylw. Fel yr âi'r sgwrs yn ei blaen ychwanegai ambell nodyn, neu ddileu un arall. Credodd erioed mewn rhoi sylw i'r pethau bychain ac fe ddaliodd i geisio gwneud hynny, gyda'i sirioldeb arferol, hyd yn oed ynghanol ei waeledd.

Credaf innau mai dyma ran o gyfrinach ei lwyddiant a'i fawredd fel trefnydd ac fel person. Wrth gwrs fod ganddo ddelfrydau uchel ac egwyddorion cadarn o safbwynt dyfodol Cymru a Chymreictod. Fel llawer ohonom, breuddwydiai am Gymru Rydd Gymraeg, ond gwyddai Dafydd nad trwy freuddwydio yr oedd cael y maen i'r wal.

Un o'i hoff frawddegau oedd honno o eiddo Keir Hardy: 'Rhaid trefnu buddugoliaeth delfrydau'. Gallai'n hawdd fod yn arwyddair personol i Dafydd. Fe'i dyfynnai'n aml, ac yn ddi-os fe'i gweithredodd ar hyd ei yrfa wleidyddol. Byddai hefyd yn mynd â'r neges hon allan i ganghennau eraill o'r Blaid, a diddorol yw sylwi ar fraslun o anerchiad sydd yn fy meddiant, nodiadau yn ei lawysgrifen o dan y pennawd 'Ennill Ardal i'r Blaid', ac fe ddyfynnaf ran ohonynt:

1. Gwaith caled.
2. Gwaith caled a threfnu dros flynyddoedd lawer:

Perffeithio trefniadaeth y Blaid

Hel tâl aelodaeth yn rheolaidd.

Casglu at y Gronfa yn rheolaidd.

Gwerthu'r *Ddraig Goch* a'r *Nation* yn rheolaidd.

Cynnal cyfarfodydd rheolaidd o'r gangen a'r pwyllgor.

Hyrwyddo delwedd y Blaid

Gweithredu rheolaidd a threfnu.

Defnyddio'r wasg yn aml.

Rhannu dalen leol o dro i dro.

Codi arian at achosion da.

Yr ifainc i wneud rhywbeth llesol i'r fro.

Hybu Cymreictod y fro ymhob modd posibl.

Ymladd etholiadau lleol yn enw'r Blaid

Dewis ymgeiswyr yn ofalus.

Bod yn hollol drylwyr eich trefniadaeth — canfasio, trefnu pleidleisiau post, cario'r cefnogwyr i'r pôl, a.y.y.b.

O ennill yr etholiad — gweithredu'n rymus o blaid yr etholwyr, gan gofio bod eich delwedd chwi yn cael ei drosglwyddo i'r Blaid.

Os colli — dal ati neu newid ymgeisydd, ond ei ddewis yn fuan.

Gwaith tîm yw'r gwaith, ond cofier — *Rhaid trefnu buddugoliaeth delfrydau.*

'Does gen i ddim amheuaeth mai Dafydd Orwig ei hunan fu'n bennaf cyfrifol am 'ennill ardal' Dyffryn Ogwen i Blaid Cymru. Gweithiodd yn ddygn a dyfal, yn ddewr a di-ildio dros achos Cymru a'r Blaid yn y dyffryn o'r cychwyn cyntaf, a hynny mewn cyfnod pan nad oedd llawer o groeso i genedlaetholwr ar stepan y drws. Mewn gwirionedd 'roedd gwrthwynebiad ffiaidd a chasineb ffyrnig tuag at aelodau'r 'Blaid Bach' yn y blynyddoedd cynnar. Ond nid dyn i wangalonni oedd Dafydd, ac fe ddaliodd i weithio ac i symbylu eraill yn unol â'i weledigaeth a'i argyhoeddiadau, nes ennill ymddiriedaeth yr etholwyr a chipio sedd Bethesda ar Gyngor Sir Gaernarfon ddydd Sadwrn, 29 Ionawr 1972. Dafydd yn creu hanes drwy ennill y sedd gyntaf erioed i'r Blaid ar y Cyngor Sir. Ei fwyafrif dros yr ymgeisydd Llafur oedd 74 pleidlais. Ac mae'r rhai ohonom a oedd yn bresennol yn Ysgol Penybryn y noson honno, ynghanol y gorfoledd, yn cofio Dafydd yn dringo i ben cadair, yn diolch i bawb gyda'i gwrteisi arferol, cyn traddodi araith rymus i'r dorf. Bu'n ddigon hael a mawrfrydig i gydnabod cyfraniad pwysig y Blaid Lafur yn sefyll dros gyfiawnder i'r werin yn y gorffennol, ond bod y broffwydoliaeth y 'daw dydd y bydd mawr y rhai bychain' bellach wedi ei gwireddu yn Nyffryn Ogwen ac mai 'bugeiliaid newydd sydd ar yr hen fynyddoedd hyn'. 'Roedd buddugoliaeth Dafydd wedi sicrhau bod y 'Blaid Bach' ar ei ffordd i ddod yn 'blaid fawr', sef plaid y mwyafrif yn Nyffryn Ogwen, oherwydd ymhen ychydig iawn o amser 'roedd y Blaid wedi llwyddo i ennill nifer sylweddol o seddau ar y Cyngor Sir, y Cyngor Bwrdeistref a'r Cynghorau Cymuned.

Yn fuan wedi'i ethol i'r Cyngor Sir daeth yn amlwg i lawer nad geiriau gwag a gafwyd yn ei lythyr etholiad, pan addawodd y byddai'n 'gwneud ei orau dros bawb yn ddiwahân'. 'Does neb a ŵyr yn iawn faint o deuluoedd ac unigolion a dderbyniodd help ganddo mewn amryfal ffyrdd, na'r nifer o lythyrau, galwadau ffôn ac ymweliadau a wnaeth drostynt. Ni chlywyd amdano erioed yn gwrthod ceisio helpu unrhyw un, 'roedd bob amser yn barod i wrando, ac nid ystyriai unrhyw fater yn rhy ddibwys i gael sylw ganddo. 'Roedd ei weithgarwch a'i gymwynasgarwch yn ddi-ben-draw, ac yn ymylu ar y chwedlonol yn y dyffryn!

Cofia rhai ei weld allan ar ei ben ei hun ynghanol storm mewn ardal lle 'roedd perygl i dai gael eu gorlifo. A beth feddyliech chi oedd y cynghorydd a chadeirydd pwyllgorau pwysig yn ei wneud? Wel, 'roedd o'n clirio gwterydd efo rhaw, am nad oedd hogia'r cyngor ar gael ar y pryd! Dim rhyfedd iddo ennill parch ac edmygedd pobl o bob plaid yn Nyffryn Ogwen a thu hwnt dros y blynyddoedd. Cymaint oedd y parch at ei allu a'i ddoethineb, a'i farn gytbwys, nes bod pawb fel petaent yn troi at Dafydd Orwig yn gyntaf pan godai problem o unrhyw fath yn yr ardal. Nid rhyfedd iddo fod yn gynghorydd sir am bron i chwarter canrif yn ddi-dor, ac i'w fwyafrif gynyddu'n sylweddol o'i gymharu â'r 74 pleidlais yn 1972. Enghraifft o hyn oedd etholiad Cyngor Sir Gwynedd yn 1989 pan fwriwyd 1352 pleidlais drosto, gyda Llafur yn cael 511 — mwyafrif anrhydeddus o 841. Mewn gwirionedd, ers iddo ymddeol yn gynnar o'r Coleg Normal yn 1981, 'roedd bron yn gynghorydd llawn amser, ond eto 'roedd o, rywfodd, yn llwyddo i wneud cant a mil o bethau eraill.

Y peth anhygoel oedd na fyddai byth yn blino. Wel, felly 'roedd o'n ymddangos i ni, feidrolion, beth bynnag! Disgrifiodd rhywun ef fel 'Deinamo' unwaith, a 'doedd o ddim ymhell o'i le! 'Roedd Dafydd fel petai'n ffynnu ar waith, a mwy o waith. 'Roedd prysurdeb yn fwyd ac yn ddiod iddo. A phan ddeuai etholiad heibio, wel . . .! 'Roedd hynny'n wledd i Dafydd! Byddai yn ei elfen yn trefnu ymgyrch etholiadol, boed honno'n ymgyrch etholiad cyffredinol, sirol, bwrdeistref neu gymuned.

'Rwy'n cofio un etholiad, ac yntau'n methu symud oherwydd problem gyda'i gefn, iddo redeg yr ymgyrch o'i wely. 'Welais i neb erioed yn mwynhau ymgyrch etholiadol fel Dafydd. I'r rhan fwyaf ohonom, rhyw fath o ddyletswydd, rhyw orchwyl yr oedd yn rhaid ei wneud, oedd cymryd rhan mewn ymgyrch. Ond nid i Dafydd. Byddai'n byrlymu, a brwdfrydedd heintus y trefnydd yn llwyddo i'n codi a'n hysbrydoli ni bob tro. 'Roedd ganddo'r ddawn brin honno i gael y gorau allan o'i gyd-weithwyr!

Eithriad fyddai gweld Dafydd heb amlen neu ffeil neu ddarn o bapur yn ei law. 'Roedd o byth a hefyd ar ei ffordd i ryw gyfarfod, neu i weld rhywun, neu i ddanfon rhywbeth i rywle. Ac os mai atoch chi y deuai, gallech fentro y byddai'n gofyn i chi wneud rhywbeth ar ran rhyw fudiad neu'i gilydd. 'Fedrwch chi fynd â phosteri 'Steddfod Dyffryn Ogwen i Dal-y-bont pan fyddwch chi'n mynd i lawr?' 'Cardiau aelodaeth y Blaid sydd gen i.' 'Fasach chi'n danfon y cylchlythyrau 'ma i'r aelodau sydd dan eich gofal?' 'Wnewch chi fynd drwy'r rhestr etholwyr yma rhag ofn bod 'na rywun angen pleidlais bost?' Ac mi fyddech chi'n cytuno'n llawen bob tro! 'Fyddai neb byth yn gwrthod gwneud unrhyw beth y byddai Dafydd yn ei ofyn iddynt! *Fedrech* chi ddim gwrthod Dafydd, nid yn unig oherwydd bod gennych chi'r parch mwyaf tuag ato, ond hefyd am eich bod yn gwybod na fyddai'n gofyn i chi wneud dim na fyddai'n barod i'w wneud ei hunan. Ac wrth gwrs, 'roedd ganddo ei ddull arbennig ac effeithiol ei hun o ofyn ac o gael y maen i'r wal. 'Fyddai Dafydd byth yn defnyddio gordd i dorri cneuen!

Gwelais enghraifft berffaith o hyn, er nad oeddwn yn sylweddoli'r peth ar y pryd, pan oedd grŵp sgiffl Hogia'

Llandegai yn ei ddyddiau cynnar. Tua 1958 oedd hi, ac 'roedd Dafydd wedi bod yn gwrando arnom ac wedi sylwi nad oedd gennym ddigon o ganeuon Cymraeg. Byddai ambell un wedi codi stŵr a bytheirio yn erbyn y stwff Saesneg. Ond nid Dafydd! Ein llongyfarch ac estyn gair o ganmoliaeth a chefnogaeth a wnaeth ef, a chynnig ein helpu i gael rhagor o ganeuon Cymraeg. Yn wir fe gawsom ddau gyfieithiad o'i waith ei hun ganddo yn ddiweddarach. Ac fe fu Dafydd yn gyfaill i'r Hogia' ar hyd y daith, gan ysgrifennu'r broliant ar glawr dwy o'n recordiau yn y saithdegau.

Ond wedi i mi briodi a phrynu tŷ ym Methesda yn 1964 y dechreuais ddod i'w adnabod yn iawn. Ymunodd Angharad a minnau â'r gangen leol o'r Blaid a chael ein synnu gan frwdfrydedd yr ysgrifennydd, sef Dafydd Orwig. Ymhen ychydig iawn o amser, 'roeddwn i wedi f'ethol yn drysorydd Cangen Dyffryn Ogwen, ac felly dyna gychwyn ar gyfnod hir o gydweithio agos â Dafydd. Dim ond rŵan y mae dyn yn llawn sylweddoli pa mor hapus oedd y cydweithio hwnnw. 'Roedd yn ysgrifennydd rhagorol a hefyd yn arweinydd cadarn, ond heb fod yn unbeniaethol. Holai farn ei gyd-swyddogion yn aml, ac er ei holl brysurdeb, 'roedd bob amser yn gefnogol i'w gyd-weithwyr ac fe gyflawnai'r cyfan gyda'r sirioldeb parhaus hwnnw a'i nodweddai.

'Roedd bod mewn pwyllgor o'r gangen efo Dafydd yn brofiad ac yn bleser. 'Roedd yn effeithiol a threfnus, wrth reswm, ond 'roedd 'na ddogn helaeth o hiwmor yn dod i'r amlwg hefyd. Ar fwy nag un achlysur cofiaf ef yn oedi wrth ddarllen cofnodion, ac aelod o'r pwyllgor yn codi'i lais — 'Ddim yn dallt 'ych sgwennu'ch hun 'dach chi, Dafydd?' Ac yntau'n chwerthin cymaint â'r un ohonom?

Câi dynnu ei goes yn bur aml ynglŷn â'i lawysgrifen, a oedd — a bod yn garedig — braidd yn anodd i'w deall ar brydiau. Chwerthin a wnâi bob tro, a rhyw led-gytuno. Byddem yn arfer gwneud casgliad ar ddiwedd ein cyfarfodydd a bron yn ddieithriad byddai Dafydd yn cynnig ei het i mi at y gwaith. Daeth yr hen het yn enwog dros y blynyddoedd ac fe gasglwyd rhai cannoedd o bunnau ynddi. Er bod ambell un wedi awgrymu mai'r rheswm y byddai Dafydd yn rhoi benthyg yr het oedd bod 'na rywfaint o bres yn mynd yn sownd yn y leinin yn ddiarwybod i'r trysorydd! Byddai Dafydd wrth ei fodd hefo rhyw hwyl diniwed felly. Os oedd yr het yn enwog, 'roedd y 'Llyfr Bach Coch' yn enwocach fyth. Yn hwn y byddai'n cofnodi pwy oedd yn prynu'r *Ddraig Goch*, neu'n talu'n fisol i Gymdeithas 200 Conwy. Pan dynnai hwn o'i boced ar ddiwedd cyfarfod, byddai ambell un yn ochneidio'n uchel ac yn gwneud sylwadau fel, 'O! . . . O! mae Dafydd isio pres gan rywun eto!' neu 'Awn ni adra' reit handi hogia, ma'r llyfr coch wedi dod i'r golwg!' A Dafydd yn chwerthin yn braf cyn mynd ati i atgoffa rhywun fod arno fo bres am chwe mis o'r *Ddraig Goch*.

Do, bu'n bleser ac yn fraint i mi gael adnabod a chydweithio efo Dafydd. Mae gennyf atgofion melys iawn o fod yn ei gwmni, boed hynny ar ei aelwyd neu yn teithio mewn car i gynhadledd, i rali, i bwyllgor neu ryw gyfarfod arall. Y sgwrs bob amser yn ddifyr ac adeiladol, ac yn addysgiadol hefyd. 'Doedd yr un daith yn ymddangos yn hir yn ei gwmni. Byddwn wrth fy modd pan fyddai wedi ei blesio'n ofnadwy, efallai gan ryw araith neillduol mewn cynhadledd, neu unrhyw beth o ran hynny. Gwyddwn mai'r gair 'godidog' fyddai ar ei wefusau bob tro. Ac 'roedd gan Dafydd ei ffordd unigryw ei hun o'i ynganu, gyda'i wyneb yn goleuo, a'i lygaid yn gloywi, wrth iddo bwysleisio'r gair . . . 'Godidog!'

Ni allaf innau feddwl am well gair i ddisgrifio bywyd a gwaith un a wnaeth gyfraniad mor aruthrol i'w fro ac i'w genedl a'i hiaith . . . 'GODIDOG!'

Cofio

*(I Dafydd Orwig ar ddiwrnod Eisteddfod Gadeiriol
Dyffryn Ogwen, 16 Tachwedd 1996)*

Sut mae'n gŵyl yn disgwyl dal
A chân i gael ei chynnal,
A'r un na throdd gefn erioed
Yn eu gadael i'w gydoed?

Pwy all ein cymell bellach
I ledu fôt y blaid fach,
Ac un cwch-wenyn o waith
Yn clwydo o'r caledwaith?

Un cennad oedd i'n cynnal,
Un dyn yn ein bro'n ei dal.
Seren gynnar yn aros
Drwy'r niwl a thrymder y nos.

GWYNFOR AB IFOR

Dafydd Orwig

Naddaist i galon creigiau
dy ddyffryn â'th gŷn gwleidyddol.
Holltais lechi ein pesimistiaeth,
a'n hanobaith yn chwilfriw, ar wyneb
craig galed dy Gymru.

Uwch y castell,
lle rhannwyd mor afrad
ddeg darn ar hugain
chwys llafur dy bobol,
codaist gaer gadarnach
â'th ddwylo amyneddgar,
o gynlluniau brwdfrydig
dy bensaernïaeth.

A ddaw i ninnau'r eneiniad hwn
a wêl uwch y tyllau hesb
y golau dros y gorwel,
y tai diddos yn y dyffryn pell
a'u dodrefn democrataidd
a adeiladwyd gan dôwyr ifanc
â llechi glân
dy optimistiaeth?

EURIG WYN

Dafydd Orwig

Y gŵr bonheddig o hy
oedd hwn y dyddiau hynny.
Pwy oedd yn mapio addysg,
un â'i stamp ar atlas dysg?
Oni heriai fyfyrwyr
i dorri myth pedwar mur?

A phwy oedd â chymaint ffydd
ddiedifar fel Dafydd,
oedd heriwr â'i rudd arall,
a gŵr mor fodern o gall?

I'w Wynedd hen, craig ei ddydd,
a mwyn fel grug y mynydd.

CYN-FYFYRWYR Y COLEG NORMAL

Colli Dafydd Orwig

Rhwng Ogwen a Saint heno
Ar dir claf edrychaf dro.
Mae eira'n gaenen denau
Ar linell y pell gopâu
Fel amdo'n gorchuddio'u gwedd,
Amdo heno am Wynedd.

Rhwng Ogwen a Saint heno
Mae rhyw ias ar lethrau 'mro.
Arllechwedd yr Wynedd wâr
A Deiniolen dan alar.
Yn nhir yr iaith pell yw'r ha'
Â Dinorwig dan eira.

IEUAN WYN

Dafydd Orwig

Dylai'i genedl o ganwaith — boeri gwaed,
    byr ei gorff yw gobaith;
    ni ddaw'n ôl yn ddyn eilwaith,
    ni ddaw'n ôl, gweddw yw'n hiaith.

ROBIN LLWYD AB OWAIN

Er Cof am Dafydd Orwig

Rhoi hen gynefin ei linach — yn uwch
    Wnâi hwn na'r byd crintach;
    Rhoi ei egni'n ddirwgnach
    I'n hiaith a byw'r pethau bach.

RICHARD PARRY JONES

Siwt
(I gofio Dafydd Orwig)

Gwisg ar lyfndew gorff cynghorydd
Hawlia barch, a swydd, a chrandrwydd;
Pwy faidd graffu dan y brethyn
Rhag gweld dirwyn yr edefyn?

Parch at iaith ddiurddas, unig
Fu yn wisg am gorffyn ysig;
Er rhoi amdo am ymroddiad,
Nid oes neb yn amau'r toriad.

MEG ELIS

Er Cof am Dafydd Orwig

Mynnai hel llus y mynydd — ac wedyn
    âi i godi'r ceyrydd;
    a'r pethau lleiaf, Dafydd,
    yw'r rhai ddaw â Chymru'n rhydd.

JOHN HYWYN

92

Dafydd Orwig

Dafydd y diwyd, dyfal — a'i eiriau
   Yn herio a chynnal,
   Dafydd y llyw dihafal,
   Y dyn â'r dwylo i'n dal.

DAFYDD IWAN

Er Cof — Dafydd Orwig

Mae rhuddin o'i ymroddiad — yn aros
   Yn y tir; i wead
   Ei Wynedd ei ymlyniad —
   Arloeswr, heuwr yr had.

W. R. P. GEORGE